NACHTBLAUW

Kramat BVBA
Hulshoutsesteenweg 24
2260 Westerlo Belgium
Tel./Fax: +32(0)16 68 05 87
www.kramat.be

ISBN-13: 9789075212914
Wettelijk Depot: D/2008/7085/4
Nur: 305
Copyright © Nico De Braeckeleer,
www.nicodebraeckeleer.be
Artwork cover: Bruno Dermaux
Opmaak: ARTrouvé
Drukwerk: Vestagraphics

Nico De Braeckeleer

Nachtblauw

THRILLER

KRAMAT
Suspense

Dit boek was nooit tot stand gekomen zonder de hulp van een aantal mensen aan wie ik grote dank verschuldigd ben:

mijn echtgenote, om er altijd voor mij te zijn, in goede dagen, slechte dagen en schrijfdagen,

mijn kindjes, om elke dag opnieuw een glimlach op mijn lippen te toveren,

mijn ouders, om in mij te geloven,

mijn grootmoeder, om mij te verwennen,

mijn grootvader, om vanuit de hemel over mij te waken,

mijn vrienden, om hun vriendschap die mij altijd weer gelukkig maakt,

mijn collega-schrijvers, om mij steeds de raad te geven die ik nodig heb,

mijn ontwerper, voor de fantastische cover,

mijn uitgever, om mijn droom een roman te publiceren werkelijkheid te laten worden,

iedereen die me geholpen heeft bij mijn research voor dit boek,

alle mensen die mij ooit op een of andere manier hebben gesteund.

Een speciaal woord van dank gaat uit naar alle testlezers, en in het bijzonder naar Jurgen Buelens en Kees Krick, die deze roman hebben willen lezen en opmerkingen hebben gegeven waarvan ik heel wat heb opgestoken.

DEEL I
MISTGORDIJN

maandag 14 juni (dag 1)

1

Een bliksemstraal schoot uit het onheilspellende, ravenzwarte wolkendek en miste op een haar na het dak van het modernistische gemeentehuis. Het grommen van de donder volgde enkele seconden later en hield aan tot de wolken een volgende schicht richting Laarbeke stuurden.

Vanuit haar kamer keek zuster Rita naar het imposante natuurverschijnsel. Ze hield van de natuur die haar kracht aan de mensheid in al haar glorie openbaarde. Het deed de mens beseffen dat hij niet het centrum van het universum was, maar slechts een nietig, schriel stofje. Niet dat ze orkanen, tsunami's, aardbevingen en andere verwoestende natuurfenomenen toejuichte, integendeel, maar het was nu eenmaal zó dat de kracht van de natuur de mens tot bepaalde inzichten kon brengen. Dat ging van het besef van de eigen onbeduidendheid tot de drang naar samenhorigheid. Een zonde dat bijna niemand inzag dat ook op momenten van welvaart en geluk mensen de handen in elkaar moesten slaan.

Het aardoppervlak bibberde tijdens de volgende donderslag. De donder was als het brullen van God tot de mensen dat zij zich moesten bekeren, de bolbliksems als Zijn ogen die brandden van woede omwille van hun ongeloof.

Een grijns golfde over het gezicht van zuster Rita toen deze vergelijking door haar hoofd schoot. Uiteraard wist ze dat God het onweer niet veroorzaakte. Het was niet omdat ze kloosterlinge was dat ze er conservatieve, wereldvreemde meningen op nahield. Helemaal niet. In Laarbeke stond ze bekend als dé moderne zuster bij uitstek. Nou ja, moeilijk was die titel niet te verwerven, want er leefden maar drie zusters op het grondgebied van Laarbeke. Toch vond Rita het een hele prestatie om als hedendaags aanzien te worden. Dat was heus niet voor de hand liggend als je dag in dag uit gehuld was in een zwartlinnen habijt en een zwarte hoofdkap droeg. Die hoofdkap werd door de meeste zusters niet meer gedragen, maar de kloosterzusters van Laarbeke waren onderling overeengekomen om de traditie in ere te houden, al was dit tegen de zin van zuster Rita.

Rita wist haast iedereen te overtuigen van haar vooruitstrevende gedachten. Ook de kinderen aan wie ze les gaf, begrepen al vlug dat ze niet te maken hadden met een ouderwetse kloosterzuster. Op een ongedwongen manier onderwees ze hen in de katholieke school die rond het klooster was opgetrokken. Ze onderrichtte aardrijkskunde, geschiedenis en godsdienst aan het eerste, tweede en derde middelbaar en was daarmee de enige zuster in het klooster die nog les gaf. Haar twee collega's waren al enkele jaren met pensioen, maar Rita wilde er nog niet mee stoppen. Onderwijzen was haar grootste passie. Het gaf haar enorm veel voldoening kinderen iets bij te brengen, hen waarden mee te geven en hen op die manier voor een stukje ook op te voeden. Zelf zou ze nooit kinderen hebben. Dat was het grootste offer dat ze God had moeten brengen om Hem te mogen dienen.

Rita hield van het schouwspel van weerlicht en donder, maar vanavond kon ze er niet ten volle van genieten. Ze wist eigenlijk niet precies waarom. Toch bleef ze voor het raam staan.

Het hemelse vuur verlichtte de omgeving. In het weiland achter het klooster graasden enkele koeien, die zich van de zwiepende regen en joelende wind weinig aantrokken maar wel huiverden bij elke donderslag.

Het bliksemlicht doofde en Rita tuurde naar de koeien. In het duister kon ze enkel hun omtrekken waarnemen. Ze vroeg zich af waarom ze eigenlijk zo gefascineerd naar de runderen staarde en verlegde haar blik naar de dreigende lucht.

De wolken kleurden niet donkerder dan anders. De donder schalde niet luider. De elektrische ontladingen waren niet indrukwekkender. Toch leek het onweer intenser dan anders. Agressiever, gruwelijker, haast diabolisch. De vergelijking die ze had gemaakt, schoot haar opnieuw te binnen. *De donder als het brullen van God, de bolbliksems als Zijn ogen.*

De vergelijking werd in haar hoofd bruusk verdreven door een andere. *De donder als de lokroep van de duivel, de bliksem als het knetteren van het hellevuur.* Hoewel Rita niet eens in de duivel geloofde, kon ze deze vergelijking niet zomaar weglachen. Het was alsof de formulering haar werd opgedrongen, in haar hoofd gestopt door een ondefinieerbare entiteit. De woorden bleven door haar hoofd flitsen. Een stekende pijn teisterde plots haar schedel, alsof er spijkers in haar hersenpan werden geklopt.

Rita zeeg neer op de rand van haar bed. Er volgden nog meer woorden, haar ingefluisterd door een donkere stem. Ze verstond de woorden niet, daarvoor had ze te veel pijn. Rita wilde zich ook niet concentreren op het gefluister. Ze wilde dat het ophield, maar het ging gewoon door. Hoewel de woorden ongrijpbaar waren, voelde ze dat elke letter te maken had met Satan en de hel. Rita probeerde de woorden tevergeefs te bannen.

Zwarte sluiers dreven voor haar ogen. Ze wist niet of ze echt waren of dat ze zich de nevels enkel inbeeldde. Rita boog vorover en drukte haar handen tegen haar schedel. In die houding bleef ze zitten, smekend dat de tergende hoofdpijn zou ophouden.

En dan, ondanks de enorme pijn, was er het plotse besef dat de duivel bij haar in de kamer was. Ze wilde dit niet geloven, maar ze voelde met elke vezel van haar lichaam dat het zo was. Rita had Satan altijd gezien als iets abstracts, nooit als een entiteit, maar nu voelde ze hem, rook ze hem. De stank van verrotting en zwavel omhulde haar. Het was de duivel die haar hoofd volpropte met die onverstaanbare denkbeelden. Rita kon het niet langer verdragen en net toen ze dacht dat de chaos aan woorden haar gek zou maken, verdwenen ze samen met de stekende pijn. En ook het Kwaad verliet haar.

De zwarte sluiers losten op en haar ogen konden weer zien, maar wat ze waarnam toen een heldere bliksemflits het weiland verlichtte, verkilde haar tot op het bot.

In het natte gras lag een koe op haar zij. Dood. Haar ogen wijdopengesperd, haar tong slap in de muil, de vacht op haar rug verbrand. Een bliksemschicht had een zwarte plek ingebrand. Een lange rechte lijn van in haar nek tot aan haar staart, onderaan de rug loodrecht gekruist door een korte lijn. Een omgekeerd Latijns kruis: het Petruskruis.

Rita wilde graag geloven dat het patroon toevallig was, maar ze voelde aan dat het dat niet was.

Ze wist dat het Petruskruis was genoemd naar Petrus die ondersteboven gekruisigd wilde worden omdat hij zich onwaardig voelde om op dezelfde manier te sterven als Jezus. Het symbool werd echter vaak verkeerdelijk gekoppeld aan satanisme en werd een symbool voor het afstoten van Christus' goedheid. Rita had het Petruskruis altijd beschouwd als symbool voor het hoofd van de katholieke kerk aangezien de paus een opvolger is van Petrus, maar nu... nu twijfelde ze.

2

Voor de eerste keer sinds de geboorte van Ayla, vier maand geleden, bedreven Kathleen en Aaron de liefde. Na de zware bevalling had Kathleen lange tijd geen zin gehad om te vrijen. Nu was het minnespel bijna zo passioneel als acht jaar geleden, toen ze het na een romantisch uitstapje voor de eerste keer met elkaar hadden gedaan. Aaron was net zo voorzichtig en teder als toen. Ze waren wel een pak minder rumoerig dan acht jaar geleden, want in de aanpalende kamer sliep hun dochtertje en ze wilden het niet wekken.

Hoewel Kathleen zich volledig gaf, voelde ze dat ze, net zoals hun eerste keer samen, niet zou klaarkomen. Het zou waarschijnlijk nog een hele poos duren voor ze opnieuw een orgasme zou ervaren, maar dat deerde haar niet. Ze genoot met volle teugen en zuchtte zachtjes onder de liefdevolle aanrakingen van Aaron. Zijn vingers gleden over haar zij naar boven toe en masseerden zachtjes haar borsten.

Plots scheurde een doffe donderslag de ijle lucht aan flarden en ratelde fel met de slaapkamerrolluiken. Aarons handen gleden van haar naakte lichaam, zijn lid trok zich in een korte, krachtige beweging uit haar schede en zijn zoetgeurende, bezwete lichaam gleed van haar borstkas. Aaron had niet het vertrouwde dierlijke geluid gemaakt en Kathleen besefte dat hij zijn hoogtepunt ook niet had bereikt. Vreemd.

Kathleen draaide zich op haar zij en keek haar echtgenoot verwonderd aan. Aaron lag op zijn rug op de warme, vochtige lakens, zijn handen beschermend over zijn oren, zijn ogen en mond stijf dichtgeknepen.

'Aaron? Wat is er, schatje?'

De vraag bleef onbeantwoord. Hij bleef in dezelfde verkrampte positie liggen.

Ze wilde troostend een hand op zijn arm leggen toen een bliksemflits de slaapkamer een drietal seconden lang verlichtte. Het was in die korte periode zó helder dat het leek alsof de lichtschakelaar in de slaapkamer werd aangeknipt.

Kathleen schrok van de reflectie van haar spiegelbeeld in de deurspiegels van de kleerkast. Haar lange, bruine haren kleefden tegen haar bezwete voorhoofd, haar gezicht was lijkbleek en onder haar ogen hingen diepe wallen.

Het beeld van de onbegeerlijke vrouw verdween samen met de bliksemschicht, die ogenblikkelijk werd gevolgd door een donderslag die het bed en al het andere meubilair deed trillen.

Aaron drukte zijn handen nog krachtiger tegen zijn oren en huiverde. Toen het gerommel volledig was uitgestorven, kroop Aaron tegen Kathleen aan. Hij pakte haar koortsachtig vast en legde haar arm over zijn naakte lichaam.

'Aaron, wat is er toch?'

'N… n… niets.' Zijn ogen bleven dicht. Zijn stem klonk onvast. Bang. Met een sprankel van beschaamdheid.

Was hij bang van de donder? Maar waarom? In de acht jaar dat ze samen waren, had hij nog nooit schrik gehad van onweer.

Terwijl zijzelf altijd de seconden telde tussen de bliksem en de donder om te weten hoever het onweer verwijderd was, sliep Aaron gewoon door, zich boos makend als ze hem wekte om de stekkers van de elektrische apparaten uit te trekken.

Het gekraak van de derde weerlicht volgde haast gelijktijdig met het gekletter van de donder. Kathleen voelde Aaron ineenkrimpen. Hij omklemde haar nog steviger. Zijn gezicht was vertrokken alsof hij immense pijnen leed.

Bij de vierde donderslag, die heel wat minder luid en opdringerig klonk, begon Ayla te wenen. Kathleen wilde uit bed glippen om een kijkje te nemen bij hun baby maar Aaron hield zijn vrouw vast alsof ze een boei was in een uitgestrekte zee en hij onherroepelijk zou verdrinken als hij haar losliet.

'Ayla weent, Aaron. Ik ga gewoon even kijken.'

Aaron opende voor het eerst zijn ogen. Zijn oogwit was bloedrood. Vele adertjes in het vaatvlies waren gesprongen. 'W… wacht.'

'Ik moet haar speen gaan geven, anders blijft ze wenen', drong Kathleen aan terwijl ze zich tevergeefs uit zijn greep probeerde los te rukken. 'Aaron! Je doet me pijn!'

'De donder…. zo luid.' In zijn bevende, hoge stem viel geen greintje mannelijkheid te bespeuren.

'Jij bent anders toch niet bang van onweer? Wat is er nou toch?'

Aaron keek haar verward aan. 'Ik weet het niet. Ik weet het verdomme niet!'

Het was alsof hij elk moment in huilen kon uitbarsten, iets wat ze hem nog maar één keer had zien doen, twee jaar geleden tijdens de begrafenis van zijn vader.

Ayla bleef doordringend krijsen.

'Ik moet naar Ayla, Aaron!'

Aaron keek haar nog steeds benauwd aan, maar in zijn ogen was nu ook een zeker begrip te lezen. 'Ik ga mee', zei hij met tegenzin.

Hij vergezelde haar om niet alleen in de kamer achter te blijven.

Hij loste zijn greep een beetje zodat Kathleen haar benen uit bed kon zwaaien, maar zorgde ervoor dat hij haar op geen enkel moment losliet. Kathleen gleed in haar nachtjapon en als een bang jongetje aan moeders rok, drentelde Aaron achter haar aan, zijn knokkels wit weggetrokken doordat hij hard in de mouwen van haar nachtjapon kneep.

Ayla schreeuwde alsof iemand haar iets gruwelijks aandeed. Ze opende haar oogjes een fractie van een seconde en keek haar moeder angstig aan, waarna ze nog luider tekeerging. Kathleen nam haar baby liefdevol in de armen en wiegde haar heen en weer. Aaron stond er hulpeloos bij, hij omknelde de zijden textuur van Kathleens pyjama.

Ayla sliep al een maand lang de nacht door zonder ook maar een keer wakker te worden. 's Morgens werd ze altijd goedgeluimd wakker en ook overdag was ze mama's en papa's deugdzame oogappeltje. Als haar buikje rammelde, weende ze weleens, maar zoveel kabaal als nu had ze in haar eerste vier levensmaanden nog niet gemaakt.

Ook het schommelen kon hun dochtertje niet tot bedaren brengen.

Kathleen stak de fopspeen tussen de lipjes van Ayla, maar die maakte geen aanstalten om op het rubber te zuigen. De fopspeen viel met een droge tik op het linoleumparket, waarna de wolken buiten opnieuw infernaal gromden, alsof het vallen van de fopspeen de donder had teweeggebracht. Aaron dook in elkaar, maar liet Kathleen niet los. Zijn vingernagels boorden door de zijde in haar huid.

Kathleen slaakte een korte kreet en probeerde haar man tevergeefs van zich af te duwen. 'Doe normaal, Aaron!'

Ze zei het bruut, kwaad, maar hij hoorde haar niet eens. Zijn ogen waren dicht, zijn mond een gekromde streep van pijn.

Kathleen bleef Ayla in haar armen wiegen. Misschien had het onweer haar uit een diepe slaap gehaald en wist ze even niet wat er gebeurde? Mogelijk, maar Ayla was een vaste slaper. En als ze toch werd gewekt, was ze altijd goedgezind. Het kon ook haar buikje zijn. Krampjes. Hoewel ze daar nooit veel last van had gehad, leek het de meest logische verklaring.

'Kan jij voor haar wat venkelthee maken?'

De ogen van Aaron gingen open en keken Kathleen met doodsangst aan, alsof ze hem niet had gevraagd thee te bereiden maar een monsterlijk hellegedrocht te bestrijden. Hij leek ook niet van plan een antwoord te geven, want hij richtte zijn ogen verlegen naar de grond. Hij besefte dat hij zich als een kind gedroeg, maar was te beschaamd om toe te geven dat hij niet alleen naar beneden durfde.

'Ik ga zelf wel!' Het klonk ongevoelig, maar als ze eerlijk was tegen zichzelf had ze de woorden precies zo willen laten klinken. Ayla ging nu voor. Bovendien was Kathleens reactie ook een gevolg van haar eigen angst. Angst voor Ayla, maar ook voor Aaron omdat die zich zo vreemd gedroeg.

Kathleen daalde met Ayla in de armen de trappen af, op de voet gevolgd door Aaron, die haar bovenarm geen ogenblik losliet en bij de volgende donderslag zijn nagels zó diep in haar huid begroef dat er bloed opwelde.

3

Minuscule componenten van het welriekende parfum 'Le Narcisse bleu'
drongen Arthurs neusgaten binnen en veroorzaakten in de binnenhersenen
een kortsluiting waardoor een herinnering uit vervlogen tijden plots
opborrelde.
Louisa. 20 jaar. Jong en begeerlijk. Een koele bries streelt haar lange,
golvende, goudblonde haar. Haar lippen beroeren een glaasje donkerbruin
tafelbier. Haar intens blauwe ogen staren naar het meer dat zich voor hen
uitstrekt. Haar lange benen, gehuld in zwarte, wollen kousen, zijn elegant
onder haar gevouwen.
De jonge Arthur ligt ruggelings op het picknicktapijt, zijn hoofd rust op
haar schoot.
Ze ondervinden geen hinder van de koude wind. Daarvoor heeft Cupido's
pijl hen te hard getroffen. De verliefdheid versnelt hun hartritme, waardoor
het bloed in een hoog tempo door hun aders stroomt en hun lichaam
opwarmt.
Louisa zet haar biertje op de onstabiele grasbodem en verbreekt de bezadigde
stilte. 'Ik hou van je, Arthur.'
Het is de eerste keer dat ze dat zegt. Ze zijn nu al bijna tien maand
samen en beseffen dat ze elkaar graag zien, maar geen van beiden heeft de
woorden uitgesproken. Tot nu.
Het komt onverwachts en Arthur is een ogenblik in de war. Enkele
hartslagen lang weet hij niet hoe hij moet reageren en dan, ondanks de
aarzeling, zegt hij op het juiste ogenblik vanuit het diepst van zijn ziel dat
hij ook van haar houdt.
Hun lippen worden naar elkaar gezogen, als de tegengestelde polen van twee
magneten, sluiten zich aan elkaar en bezegelen de uitgesproken woorden.
Na een paar tellen verbreekt Arthur de innige kus en snelt naar de
dichtstbijzijnde boom. Uit zijn broekzak diept hij een zakmes op waarmee
hij de schors bewerkt.
Louisa kijkt hem nieuwsgierig aan. 'Wat doe je?'
Arthur antwoordt niet maar kijkt haar liefdevol aan, waarna hij verdergaat
met zijn bezigheden.
Louisa staat op, rent meisjesachtig giechelend naar haar liefje en ziet hoe

hij in de boomschors een lange, verticale streep kerft. Onderaan, waar de
streep eindigt, trekt hij een kortere, horizontale lijn naar rechts. Louisa
begrijpt meteen dat hij de letter 'L' wil uitsnijden. Daarna holt Arthur een
hartje uit, gevolgd door de eerste letter van zijn voornaam.
L ♥ A.
'Je verwoest de natuur!' zegt Louisa gespeeld boos.
'Voor jou doe ik alles', grijnst Arthur terwijl hij zijn zakmes opbergt.
Arthur voelt plots een drang opkomen, die het even moet opnemen tegen zijn
aangeboren verlegenheid maar de strijd moeiteloos wint. Hij grijpt haar
met beide handen vast aan haar schouders en trekt haar hartstochtelijk
tegen zich aan. Zijn geopende lippen drukken zich tegen de hare en de
werkelijkheid om hen heen vervaagt, alsof een grijze mist de omgeving
opslokt en er niets of niemand bestaat buiten hen. Met zijn nu hypergevoelige
zintuigen neemt Arthur zijn geliefde in zich op. De volle, zoetige smaak
van haar lippen, de koele, satijnen aanraking van haar huid, haar zachte,
haast onhoorbare gekreun en het intense aroma van haar parfum dat haar
zoals altijd omhult.

De herinnering vervaagde en werd door de duisternis in zijn hoofd
opgeslorpt, alsof hij met zijn geestesoog naar de fade-out van een film
keek. Een fijne glimlach bleef om Arthurs mondhoeken spelen. Ergens
zou de herinnering voor altijd een deel van hem blijven.

Vanaf de eerste seconde dat ze elkaar zagen, hadden Louisa en hij
geweten dat ze bestemd waren om samen te blijven. Voor altijd. Tot
drie jaar geleden.

Op 78-jarige leeftijd was Louisa uit zijn leven weggerukt. Bruusk.
Genadeloos. En het was op dat ogenblik dat Arthur plots al zijn geloof
verloor. Een diep vertrouwen dat hem meer dan driekwart eeuw gedwee
naar de kerk had gevoerd, werd op een paar seconden tijd onherstelbaar
geschonden.

De hartstilstand beëindigde niet alleen haar leven, maar ook dat van
hem. Hij kon niet verder zonder haar en het enige wat hij nog deed
op deze aardbol, was wachten op zijn dood. Hij wilde zijn dierbare
vrouw zo snel mogelijk nareizen naar het nirwana, het walhalla of hoe
het hiernamaals ook mocht heten. Het kon hem niet schelen waar hij
terechtkwam, zolang hij maar opnieuw met Louisa samen kon zijn,

in welke vorm dan ook. Paradoxaal misschien, zijn geloof in God was hij kwijt, maar in de hemel wilde hij geloven. Moest hij geloven. Wat verlangde hij ernaar om haar terug te zien. Zelfs de dood kon hun zielsverwantschap niet in de weg staan. Nee, toch?

Arthur zat in zijn rolstoel voor het raam van zijn kamer, die gelegen was op de tweede verdieping van het bejaardentehuis. Vanachter zijn dikke brilglazen tuurde hij naar de prachtige achtertuin, die omwille van de omvang en de vele bomen, planten, bloemen en zitbankjes eerder een klein park was dan een gewone tuin.

Terwijl de oude man naar buiten keek, vroeg hij zich af waar het aroma vandaan was gekomen waardoor hij zich het tafereel aan het meer had herinnerd.

'Le Narcisse bleu' van Mury. Het parfum had zijn vrouw altijd als een geurende aura omgeven. Hij snoof maar nam de geur niet meer waar. Geen enkele van de bejaardenhelpsters had het parfum opgehad. Dat zou hij beslist geroken hebben. De meeste van zijn zintuigen mochten dan met rasse schreden achteruitgaan, zijn reukorgaan functioneerde nog optimaal.

Arthur besefte dat hij er niets moest achter zoeken. Waarschijnlijk was de geur zelf ook een herinnering geweest die een andere herinnering had losgeweekt.

Arthur concentreerde zich op het fraaie uitzicht van het park. Het bejaardentehuis was voor hem zijn nieuwe thuis geworden van zodra Louisa was heengegaan. Drie jaar geleden was hij nog energiek genoeg geweest om alleen te leven, maar hij had het niet gewild. Het huis dat hij met zijn echtgenote meer dan veertig jaar had bewoond, bevatte te veel herinneringen. Mooie herinneringen die hem enkel nog meer naar Louisa deden verlangen.

Zijn kleindochter Marissa had hem gevraagd bij haar te komen wonen, maar hij wilde niet het vijfde wiel aan de wagen zijn en al evenmin een stoorzender in het familieleven van iemand anders. Daarom had hij erop aangedrongen om in het bejaardentehuis te gaan wonen.

Sinds eind vorig jaar zat hij in een rolstoel waar hij tegenwoordig enkel nog uitgeraakte met de hulp van iemand anders. Zijn benen zaten vol reuma en konden het gewicht van zijn lichaam niet meer dragen. Ze wilden het ook niet.

Hij was ervan overtuigd dat als zijn vrouw nog had geleefd, hij, zelfs nu op 81-jarige leeftijd, de tuin nog zou kunnen omspitten. Maar na de dood van Louisa kon hij niets meer. Wilde hij niets meer. Het laatste hoofdstuk van zijn leven was afgesloten en er restte enkel een teleurstellende epiloog.

Drie jaar lang koesterde hij de hoop dat de dood hem plots zou wegrukken uit deze wereld, maar zelfs die hoop had hij vorige week moeten laten varen toen een dokter hem terloops had verteld dat hij darmkanker had.

De dokter had de woorden 'chemotherapie' en 'bestraling' achteloos in de mond genomen alsof hij 'aardbeientaart' en 'slagroom' had gezegd. Zijn kleindochter had zich onmiddellijk vastgeklampt aan die genezingstherapieën en hem proberen te overtuigen om zijn ziekte te bestrijden. Arthur was overdonderd en had zich laten overhalen om zich aan tests te laten onderwerpen die zouden bepalen welke kuur hij nodig had, maar voor zichzelf had hij al uitgemaakt dat hij zich niet zou laten behandelen. De chemo zou hem alleen maar zieker maken en zijn dood een beetje uitstellen, maar die moest niet worden verdaagd.

Een bliksemflits lichtte de hemel op en werd gevolgd door een doffe donderslag die Laarbeke op zijn grondvesten deed daveren. De regen tikte tegen het raam. De regenspetters vormden op het glas eerst willekeurige patronen, maar toen een tweede schicht de lucht in twee spleet, meende Arthur op de ruit de fijne gezichtscontouren van zijn overleden vrouw te herkennen.

4

Een futloos lampje wierp zijn flauwe licht op de papieren die netjes op twee hoopjes op de keukentafel lagen. De bladen op de hoogste stapel had burgemeester Marinus al doorgenomen. Over zijn fijne leesbrilletje tuurde hij naar het bovenste vel op het kleinste stapeltje. De letters en cijfers dansten op de bladen. Hij kneep zijn ogen tot fijne spleetjes, maar omdat de teksttekentjes bleven swingen, richtte Marinus zich vermoeid op en knipte de tl-lampen in de keuken aan. Die kwamen met een storend geklik tot leven. De duisternis, die bijna de hele keuken in haar greep had, week schichtig achteruit en trok zich terug in de kieren en onder de koelkast.

Met een zucht liet Marinus zich opnieuw neerzakken op de houten keukenstoel. Doordat het licht van de tl-lampen vanachter hem scheen, viel het silhouet van zijn hoofd op zijn papieren. Hij draaide zich een beetje zodat de schaduw uitweek naar de onbedrukte linkermarge van het bovenste blad.

Door de enorme berg briefwisseling had hij in het gemeentehuis geen tijd gehad om de gemeenteraad van morgen door te nemen. Daarom deed hij dat nu. Uiteraard had hij de dossiers van de gemeenteraad al volledig ingezien, tweemaal zelfs, op het college en tijdens de partijzitting, maar het was zijn gewoonte de dag voor de gemeenteraad een laatste controle uit te voeren.

Er was altijd wel een of andere ambtenaar die een blunder maakte die over het hoofd werd gezien. Tijdens de gemeenteraadszitting zou de oppositie hem die fout zonder twijfel onder de neus wrijven.

In de acht jaar dat hij burgemeester was, was hij nog maar twee keer geconfronteerd met een flater op de zitting. Maar dat was twee keer te veel. Bovendien moesten niet alleen de teksten correct zijn, maar was het ook belangrijk dat hij anticipeerde op de vragen van de gemeenteraadsleden. Daarom formuleerde hij op voorhand antwoorden op zowat alle mogelijke vragen.

Marinus wist dat hij door heel wat medewerkers en collega's werd bestempeld als een Pietje precies, maar hij vond dat eerder een compliment dan een belediging. Als burgemeester kon hij zich geen slordigheden permitteren. Zijn 3.511 inwoners rekenden op hem en hij deed er alles aan om hun vertrouwen niet te beschamen. Marinus was fier op zijn gemeente en hij vond het noodzakelijk dat zijn gemeente ook fier was op hem. Laarbeke mocht dan met zijn 3.511 inwoners, 1.842 postbussen en zijn oppervlakte van slechts twee vierkante kilometer een van de kleinste gemeenten in Vlaanderen zijn, het was zeker geen onbelangrijke gemeente. Door haar centrale ligging in de

Groene Gordel rond Brussel en haar historische plekjes was Laarbeke een toeristische trekpleister in de zomer. Op hun weg naar Brussel bleven heel wat vakantiegangers een dagje in Laarbeke rondhangen om te genieten van de luisterrijke omgeving.

Marinus wist ook dat de Laarbekenaars graag in hun gemeente woonden. Dat kwam onder andere doordat Laarbeke, ondanks de centrale ligging, was afgesloten van de omringende gemeenten en Brussel. In het oosten en het zuiden werd Laarbeke gescheiden van Brussel door de autosnelweg en in het noorden en het westen vormde het kanaal een natuurlijke buffer.

Bovendien ondervond Laarbeke weinig hinder van de verstedelijking. Dit had niet alleen te maken met de ligging, maar vooral ook met het beleid van het gemeentebestuur, dat er door middel van vele sociale verkavelingen voor zorgde dat zijn jongste inwoners de beste voorwaarden kregen om een huis in de gemeente te bouwen.

Omdat de leefgemeenschap klein was, kenden de mensen in Laarbeke elkaar. Het ging er dan ook heel wat intiemer aan toe dan in vele andere steden en gemeenten. Dat was ook meteen Marinus' grote kracht in de politiek. Hij woonde al van kindsbeen af in Laarbeke en kende zowat iedereen persoonlijk. Hij zetelde in vele verenigingen, ging geregeld op café en was aanwezig op zo goed als elk feestje dat werd georganiseerd.

De analoge keukenklok boven de ijskast vertelde Marinus dat het vijf voor elf was. Hoewel hij uitgeput was, besloot hij nog tot halftwaalf door te lezen. Hij wilde absoluut de begroting van de gemeentelijke vzw's vandaag nog onder de loep nemen, maar zijn ogen konden zich niet meer vasthechten aan de getallen en letters op de bladen. Zijn oogbollen tolden rond in zijn kassen en hij slaagde er niet in zijn pupillen op een vast punt te richten. Hij werd duizelig en klampte zich met beide handen vast aan de keukentafel. Zodra hij zijn ogen dichtkneep om de tollende wereld uit te bannen, voelde hij zich stukken beter.

Een tweetal minuten bleef hij onbeweeglijk op het randje van de keukenstoel zitten, zijn rug gekromd, zijn handen het tafelblad omklemmend en zijn ogen krampachtig dichtgeknepen.

Toen hij zijn ogen opende, was het draaierige gevoel volledig weg.

Voordat Marinus de volgende zin las, viel zijn blik op de keukenklok. Hij moest wat overtollig speeksel doorslikken toen hij zag hoe laat het was. Zeven voor twaalf. Vóór de aanval van duizeligheid was het nog maar vijf voor elf geweest. Hoe was het mogelijk dat het plots een uur later was? De burgemeester bedacht dat hij wel heel erg uitgeput moest zijn en stevende meteen af op zijn slaapkamer. Vijf minuten later lag hij in slaap.

5

De koele bries die na het onweer door Laarbeke woei, warrelde het open raam binnen en wiegde de vlammetjes van de vier kaarsen heen en weer. De deinende vlammen deden het zilveren bestek en de hoge wijnglazen fonkelen. Een katoenen servet, gevouwen in de vorm van een vlinder, was neergestreken op de twee witte borden die tegenover elkaar stonden. Marie-Rose zat op een rieten stoel aan het gedekte tafeltje en neuriede zachtjes, haast onmerkbaar, mee met 'Total Eclipse of the Heart' van Bonnie Tyler, dat uit de luidsprekers opsteeg.

Toen Dennis de veranda binnenstapte, besefte hij meteen dat heel dit romantische opzet een van de laatste pogingen van zijn vrouw was om hun huwelijk te redden.

Marie-Rose lachte hem zonder veel overtuiging toe. 'Ik heb scampi's in botersaus klaargemaakt!' Ze probeerde het geestdriftig te laten klinken, alsof dit het leukste was dat ze de afgelopen weken had gedaan.

'Lekker.' Dennis deed niet eens zijn best om te doen alsof hij verrast of verheugd was. Hij had een rotdag op het politiebureau achter de rug, het was laat en hij was moe. Maar hij wilde wel zijn huwelijk redden en daarom deed hij alsof hij het fantastisch vond dat zijn vrouw om middernacht scampi's had klaargemaakt. 'Dat wordt smullen, Roosje!' Marie-Rose reageerde er niet op. Zijn poging was té doorzichtig.

'Morgen moet je toch niet werken en daarom dacht ik dat het wel gezellig was om samen eens te dineren', zei ze.

Dennis bedacht dat ze dan beter morgenmiddag scampi's had

klaargemaakt in plaats van zo laat op de avond. Maar Dennis wilde geen ruzie, niet opnieuw, en hield wijselijk zijn mond.

De laatste tijd mondde haast elk verkeerd woord uit in een hoogoplopende ruzie. Eigenlijk was hijzelf best tevreden met hun relatie en wilde hij niet liever dan dat alles zijn gewone gangetje ging, maar Marie-Rose nam daar geen genoegen mee. Zij wilde meer. Zij smachtte naar liefde en passie. Net zoals vijftien jaar geleden tijdens hun eerste huwelijksjaar. Ze leek maar niet in te willen zien dat relaties niet altijd rozengeur en maneschijn zijn, ze klampte zich liever vast aan het valse beeld dat werd geschetst in soapseries en stuiverromannetjes.

Met een vermoeid gebaar hing Dennis zijn jas over de leuning van de sofa, waarna hij tegenover zijn vrouw op het rieten stoeltje plaatsnam. Nog net op tijd dacht hij eraan dat hij haar nog niet had gekust. Hij richtte zich weer op en zoende haar kort op de mond, een haast vriendschappelijk gebaar.

Marie-Rose glimlachte, maar de twinkeling in haar ogen was enkel te wijten aan de wiegende kaarsvlammetjes. Als je haar vanuit een andere hoek bekeek, kon je zien dat haar ogen dof waren, vreugdeloos. Net als hun relatie.

'Lang geleden dat we samen nog eens rustig aan tafel hebben gezeten', probeerde ze het gesprek op gang te brengen.

'En nog langer geleden dat we met elkaar gevreeën hebben. Meer dan een halfjaar moet dat ondertussen zijn', bedacht Dennis, maar hij zei alleen maar 'ja'. Nu over seks beginnen zou de poging van Marie-Rose om een romantische stemming te creëren, verpesten. Hij wilde trouwens op dit ogenblik helemaal niet vrijen; het enige wat hij wilde, was een gezonde dosis slaap.

'Ik ga even kijken of de scampi's klaar zijn.'

Dennis knikte en keek zijn vrouw na terwijl ze in de keuken verdween. Hij spoorde zichzelf aan om een beetje medewerking te verlenen, om toch iets van deze avond te maken. Hij wilde zijn relatie redden, hij wilde zijn vrouw niet kwijt, maar hij begreep niet waarom ze rond alles zoveel heisa moest maken. Scampi's in botersaus om 12 uur 's nachts! Hoe kwam ze erop? Een boterham met kaas en mosterd en een biertje zou nu heel wat beter smaken. Maar hij moest haar spel meespelen.

Ze verweet hem altijd dat hij geen greintje romantiek in zich had, en hoewel ze daarmee gelijk had, vond hij deze vertoning ook niet het toppunt van romantiek.

Dennis en Marie-Rose hadden nooit een kinderwens gehad, maar hij vroeg zich af of een baby toch niet een deel van het probleem zou verhelpen. Het zou zijn vrouw beslist deugd doen na haar saaie kantoorbaan voor iemand te kunnen zorgen, maar daar wilde ze niets over horen.

Dennis wist van zichzelf dat hij te erg opging in zijn politiewerk om er veel voor haar te kunnen zijn. En zelfs als hij thuis was, dwaalden zijn gedachten dikwijls af naar bepaalde dringende politiedossiers. Niet alleen zijn vrouw, ook zijn vrienden en zelfs zijn collega's vroegen zich af waarom hij zoveel aandacht schonk aan zijn werk. Het was niet dat hij bij de nationale veiligheid werkte of zo, hij was gewoon hoofdinspecteur van de lokale politie in de kleine gemeente Laarbeke. Nou ja, niet alleen van Laarbeke. De octopuswet van 1998 had tot gevolg dat ook de voormalige rijkswachtbrigade en de politiediensten van de twee buurgemeenten Sint-Wemmels-Rode en Meirnegem op een geïntegreerde manier gingen samenwerken vanaf eind 2001. Het politiekantoor in de buurgemeenten werd opgedoekt en dat van Laarbeke werd gerenoveerd en uitgebreid.

Maar Dennis moest zichzelf niets op de mouw spelden. Ondanks deze samensmelting stelde het allemaal nog niet veel voor. Politiezone Laarbeke was zowat de kleinste in Vlaanderen en van criminaliteit was er nauwelijks sprake.

Dennis was iemand die altijd wilde dat gerechtigheid geschiedde en elk dossier snel en efficiënt afhandelde, zelfs al ging het om het opsporen van een gestolen fiets. Aan zijn karakter kon hij nu eenmaal niets veranderen. Hij klopte veel te veel uren voor het geld dat hij verdiende, maar dat deerde hem niet. Hij wilde gelukkig zijn en daarvoor moesten alle misdrijven en misdaden opgelost worden.

Marie-Rose verscheen in de veranda met een pan vol heerlijk geurende botersaus waarin een twintigtal scampi's dobberden. Dennis maakte een gemeend compliment over het aroma van de saus. Zijn vrouw nam dit compliment met een glimlach in ontvangst en het was de eerste oprechte glimlach van die avond. Dat zag hij aan de twinkeling in haar ogen, die deze keer niet het gevolg was van de wiegende kaarsvlammetjes.

Op het ogenblik dat haar glimlach wegsmolt, ging Dennis' gsm af. Plichtmatig stond hij op en diepte het mobieltje uit zijn jaszak. Op het display zag hij dat de oproep vanuit het politiebureau kwam. Hij durfde zijn vrouw niet aankijken, maar voelde haar ogen in zijn rug priemen. Het was niet moeilijk om te raden hoe ze hem aanstaarde. Kwaad, verbolgen, ten einde raad.

'Ceulemans.' Hij sprak zijn achternaam op een kordate manier uit en voelde zich meteen hoofdinspecteur van de lokale politie van Laarbeke. Echtgenoot Dennis werd achter slot en grendel opgeborgen, alsof hij twee persoonlijkheden had die onverenigbaar waren.

Ceulemans aanhoorde een tiental seconden de uitleg, knikte en zei toen: 'Ik kom eraan.'

Hij vermoedde dat die woorden voor Marie-Rose de aanleiding zouden zijn om een woede-uitbarsting te krijgen, maar ze bleef moedeloos zitten. Haar ogen staarden naar de tafel, haar vingers speelden lusteloos met haar vork.

'Het spijt me. Ik moet gaan. De dochter van een gemeenteraadslid is spoorloos.'

Marie-Rose antwoordde niet. Met tegenzin stak ze een scampi in haar mond en toen Dennis zonder haar een kus te geven naar buiten ging, rolde er een eerste traan over haar wangen.

Mariah Carey zong op de radio het wondermooie 'Without you'.

dinsdag 15 juni (dag 2)

1

Toen Ceulemans het politiebureau binnenstapte, veerde gemeenteraadslid Hugo Cuypers op van het houten bankje dat aan de receptie
was opgesteld.
'Hoofdinspecteur! Hebt u onze dochter al gevonden?'
De vrouw van het gemeenteraadslid bleef op het bankje zitten en nipte
troosteloos van een bekertje koffie.
'Ik ga me direct bevragen, Hugo', sprak Ceulemans. 'Ik zal doen wat ik
kan, daar mag je op rekenen.'
'Dat weet ik, hoofdinspecteur, dat weet ik.' In de ogen van Cuypers
stond teleurstelling te lezen, alsof hij had verwacht dat Ceulemans Lisa
nu al zou gevonden hebben. Ceulemans mocht dan bekend staan om
zijn efficiëntie, hij was een politieagent, geen helderziende.
Ontgoocheld ging Hugo weer naast zijn vrouw zitten. Allebei staarden
ze wezenloos het raam uit, alsof ze achter de horizon het einde van de
wereld konden zien.
Ceulemans betrad het gemeenschappelijke kantoor. De piepjonge agent
Sanders noteerde naarstig op een aangifteformulier en zette ostentatief
een punt om Ceulemans duidelijk te maken dat hij het compleet had
ingevuld.
'Mag ik?' vroeg Ceulemans.
Voor Sanders de kans kreeg om het formulier aan te reiken, griste
Ceulemans het vanonder zijn neus.
'Sorry dat ik u om middernacht oproep, hoofdinspecteur', excuseerde
Sanders zich, 'maar het was in opdracht van de korpschef. Omdat het
om de dochter van een gemeenteraadslid gaat.'
'Geen probleem', zei Ceulemans zonder zijn ogen van de aangifte af te
wenden.
Hij las het formulier grondig en richtte zich tot Sanders. 'Al met iemand
contact opgenomen?'
'Ik heb gebeld met de cafébaas en met Lisa's vriendje', antwoordde de
jonge agent trots.
'En?'
'Vertellen allebei hetzelfde. Lisa heeft om negen uur 's avonds na een

ruzie met haar vriendje het café verlaten.'

'We gaan zo meteen naar het café, maar eerst praat ik nog even met de ouders.'

'Moet ik echt mee naar het café, hoofdinspecteur? Ik wilde overuren opnemen en...'

'Jij hebt de aangifte ingevuld, dus je gaat mee. Zo simpel is dat.'

Ceulemans draaide zich om en verliet met stevige tred het kantoor.

In die paar maanden dat Sanders hier werkte, had hij ondervonden dat het geen zin had tegen Ceulemans in te gaan. Eens de hoofdinspecteur een beslissing had genomen, kwam hij daar niet meer op terug. Sanders kon goed overweg met hem, maar hij ergerde zich dikwijls aan zijn koppigheid. Ceulemans zou zichzelf ook heel wat populairder maken in het korps mocht hij af en toe een compliment uitdelen. Maar populair zijn was niet zijn betrachting. De hoofdinspecteur beschouwde agent zijn als een roeping en vond het vanzelfsprekend dat elk lid van het korps zich te allen tijde inzette voor zijn medemens.

Sanders belde zijn vriendin om te verwittigen dat hij niet vroeger naar huis kwam. Ze was daar niet mee opgezet.

De heer en mevrouw Cuypers volgden Ceulemans tot in zijn kantoor en gingen op zijn verzoek rechtover hem zitten. De ogen van mevrouw Cuypers waren roodbetraand. Hoewel ze niet meer huilde, depte ze af en toe met een zakdoek haar ogen, als om verborgen tranen af te vegen.

'Hugo, Magda, we proberen jullie dochter zo snel mogelijk terug te vinden, dat beloof ik. Maar daarvoor hebben we zoveel mogelijk gegevens nodig. Bij een opsporingszaak is de aangifte een cruciaal moment, daarom ook dat ik jullie nog eens persoonlijk wil spreken.'

Met een korte hoofdknik gaven de ouders van het negentienjarige meisje aan dat ze dat best begrepen.

'Wanneer is Lisa thuis vertrokken naar café "De Kastelein"?'

Ceulemans had het antwoord voor zijn neus liggen maar toch stelde hij de vraag. Uit ervaring wist hij dat het altijd beter was alle informatie zorgvuldig te checken. In tijden van stress vergaten de mensen dikwijls belangrijke details te vermelden.

'Om halfnegen', antwoordde Lisa's vader.

Het was nu al duidelijk dat mevrouw Cuypers niet veel zou zeggen. Ze staarde naar de witgekalkte muur achter Ceulemans alsof daar een afbeelding van haar dochter hing.

'Ging ze nog ergens anders heen? Naar een vriendin of zo?'

Hugo schudde het hoofd. 'Heeft ze niets over gezegd', zei hij waarna hij zich tot zijn vrouw richtte. 'Nee, toch?' vroeg hij.

Zijn vrouw reageerde nauwelijks, maar ze moest hem op een of andere manier de bevestiging gegeven hebben die hij zocht, want Hugo richtte zich weer tot de hoofdinspecteur.

'Nee', zei hij.

'Om hoe laat komt jullie dochter normaal terug thuis?'

'Dat varieert, maar vanavond had ze beloofd dat ze om elf uur thuis zou zijn, want ze heeft examens.'

'En toch ging ze uit?'

'Nou ja, één dagje, omdat er morgen geen examen op de agenda staat.'

Op het aangifteformulier stond niets over examens. Ceulemans had verwacht dat Sanders toch iets grondiger zou geweest zijn, want hoewel de agent nog niet lang bij het korps werkte, was het duidelijk dat hij heel wat in zijn mars had. Sanders had wel opgeschreven wat Lisa studeerde.

'Ik zie dat Lisa verpleegkunde studeert.'

'In Jette', vulde Hugo aan.

'Haalt ze goede punten?'

'Ja, we zijn fier op haar.' Het gemeenteraadslid kreeg een krop in de keel en kon slechts met moeite zijn tranen bedwingen.

'Hoe zijn haar examens tot hiertoe geweest?'

'Ze zei dat alles heel goed ging. Zoals altijd.'

'Heeft ze last van examenstress?'

'Niet echt. Wel een beetje. Maar welke student niet?'

Ceulemans blikte naar het aangifteformulier. Hij had gehoopt de verdwijning van Lisa te kunnen linken aan de examens. Jongeren liepen soms van huis weg als gevolg van de examenstress, maar als Lisa het écht zo goed deed op school als haar ouders vertelden, was dit een dood spoor. Hoewel, misschien waren de proeven niet zo goed gegaan als Lisa had voorgehouden. Dat kon hij nagaan bij de school.

'Wat hebben jullie gedaan toen Lisa om elf uur nog niet thuis was?' vroeg Ceulemans.

'Nou, het is niet de gewoonte van Lisa om te laat thuis te komen en toen ze om kwart over elf nog niet was opgedaagd, heb ik de cafébaas opgebeld. Die vertelde me dat ze al om negen uur het café had verlaten omdat ze ruzie had gemaakt met haar vriend. Ik maakte me direct zorgen en ben haar samen met mijn vrouw gaan zoeken. Toen ik haar nergens vond, ben ik hier aangifte komen doen.'

'Waar hebben jullie gezocht?'

'We hebben zowat heel Laarbeke doorkruist en zijn bij enkele van haar vrienden langsgeweest. Uw collega heeft de namen en adressen genoteerd.'

'Hoe heet haar vriend?'

'George Hoeilaart.'

'En waarom had ze ruzie met hem?'

'Volgens de cafébaas had het iets te maken met George die een ander meisje zou aangesproken hebben.' Hugo keek Ceulemans bedenkelijk aan. 'Je denkt toch niet dat ze daarom weggelo…'

'Ik denk niets. Momenteel probeer ik gewoon zoveel mogelijk gegevens te verzamelen.'

Hugo knikte begrijpend.

'Hoelang is uw dochter al samen met George?'

'Euh… een klein jaar of zo, vermoed ik.' Hij richtte zich weer tot zijn vrouw.

'Vandaag net elf maanden', antwoordde Magda tot hun verbazing.

'Is er nu iemand thuis bij jullie?' vroeg Ceulemans. Het leek een vreemde vraag, maar het zou niet de eerste keer zijn dat mensen op zoek gingen naar "een vermiste" die gewoon thuis bleek te zitten. Daarom bleef er best iemand thuis om Lisa op te vangen als ze zou terugkeren naar haar ouderlijke woonst .

'Patrick, onze zoon. Hij is thuis en hij heeft ons gsm-nummer.'

'Momenteel weet ik voldoende. Ik ga nu een eerste zoekactie houden en ik licht jullie in van zodra ik iets weet. Bel maar naar de centrale hier mocht jullie nog iets te binnen schieten dat van belang kan zijn.'

'Kunnen we met iets helpen?' vroeg Lisa's vader.

'Als jullie dat willen, kunnen jullie vrienden en vriendinnen van Lisa opbellen. Misschien is ze bij een van hen.'

'Doen we', zei Hugo vastberaden.

Lisa's ouders richtten zich moeizaam op en sloften naar de deur. Zonder nog iets te zeggen verlieten ze het kantoor.

Ceulemans kon zich nauwelijks inbeelden hoe de ouders van Lisa zich voelden. Hij wilde zich ook niet inlaten met die gevoelens. Als politieagent moest je vooral je hersenen en je instinct aan het werk zetten. Niet je gevoelens. Die stonden de oplossing van een zaak alleen maar in de weg. Toch baarde de verdwijning Ceulemans zorgen, ook al was het meisje nog maar enkele uren spoorloos. Hij wist dat Lisa bekend stond als een aimabel, zachtaardig en nuchter meisje. Het zou hem verwonderen dat ze was weggelopen omwille van een ruzie met haar vriend, al was dat momenteel het belangrijkste spoor om volgen.

Vijf minuten later waren Sanders en Ceulemans op weg naar café "De Kastelein" om meer informatie in te winnen. Een akelig, drukkend gevoel nestelde zich ter hoogte van Ceulemans' borstkas. Het ging gepaard met het besef dat deze zaak niet goed zou aflopen. Zo'n vreemde gewaarwording had de hoofdinspecteur nog nooit gehad.

2

Ayla had de hele nacht onophoudelijk gehuild en nu ze in bed bij mama en papa lag, krijste ze nog steeds. Een gejank dat door merg en been ging. Kathleen en Aaron hadden geen oog dichtgedaan. Ze waren doodop.

Kathleen waarschuwde Mariette, de opvangmoeder, dat Ayla vandaag niet kwam. Daarna belde ze naar de receptie van het reclamebureau om te zeggen dat ze een dagje verlof nam. Kathleen was te moe om te gaan werken. Ze wilde trouwens thuisblijven om de toestand van Ayla op te volgen.

De receptioniste verbond Kathleen door met Anthony, de baas van het reclamebureau. Hij was driftig omdat Kathleen verlof durfde nemen. Hij kon het nooit goed hebben als zijn personeel vakantie nam, maar nu was hij echt woest omdat die week een grote klant moest binnengehaald worden. Kathleen was de contactpersoon van de potentiële klant, een koekjesfabrikant uit Nederland.

Ondanks het gemor van haar baas, hield Kathleen voet bij stuk. Toen Anthony besefte dat hij Kathleen niet kon overtuigen om te komen werken, murmelde hij iets onverstaanbaars en gooide de lijn dicht.

'En?' vroeg Aaron slaperig terwijl hij moeizaam uit bed klauterde.

'Ik blijf thuis.'

'Ik heb je baas tot hier horen roepen.'

'Ach ja, zo is Anthony. Hij kan er niet mee om dat ik zo snel na mijn zwangerschapsverlof alweer een dagje thuisblijf. Hij draait wel bij als ik die opdracht in de wacht sleep.'

Kathleen besefte dat ze onmiddellijk op zoek kon gaan naar een andere betrekking als de koekjesfabrikant een ander reclamebureau onder de arm nam. Maar dat waren zorgen voor later.

Alles zou heel wat eenvoudiger zijn als haar ouders dichterbij woonden. Dan konden zij Ayla opvangen. Kathleen wist dat ze kon bouwen op de opvangmoeder van Ayla, maar in haar ouders had ze toch nog meer vertrouwen. Maar die genoten liever van de gezonde lucht aan de kust dan van de nabijheid van hun kleindochter. Een halfjaar geleden waren ze naar Oostende verhuisd. Kathleen had het er nog altijd moeilijk mee. Ze kon niet begrijpen dat haar ouders er genoegen mee namen hun kleinkind enkel bij speciale gelegenheden te zien.

Het was ook geen oplossing om Ayla aan Aarons moeder toe te vertrouwen, want die had zich na de dood van Aarons vader volledig van de wereld afgesloten. Ze woonde in een appartementje in Brussel en hield zich hele dagen bezig met het voederen van duiven op het pleintje dat aan haar appartementsblok grensde.

Terwijl Kathleen bij de schreiende Ayla bleef, kroop Aaron onder de douche. Daarna maakte Kathleen zich klaar en bekommerde Aaron zich om hun dochtertje. Hij had niet veel verlof meer en zag er daarom tegenop om een dagje vrij te nemen. Hij had eraan gedacht zich ziek te melden, maar dan moest hij een ziekte voorwenden bij de dokter en daar had hij helemaal geen zin in. Daarom ging hij gewoon werken, vermoeider dan anders, maar zoals altijd met een flinke dosis tegenzin.

Al vanaf zijn twintigste werkte hij bij de technische dienst van de gemeente, meer bepaald bij de afdeling groenbeheer. Zijn dagtaak bestond er onder andere in bomen te snoeien en gras te maaien op het grondgebied van Laarbeke. Hij hield er niet eens van zijn eigen tuin om te spitten, maar zonder diploma van hoger of universitair onderwijs lagen de baantjes niet voor het rapen.

Aaron wiegde Ayla in zijn armen, maar kon haar niet sussen. Niets leek haar te kunnen kalmeren. Hij was dan ook opgelucht toen Kathleen uit de badkamer kwam en Ayla van hem overnam.

'Hoe gaat het eigenlijk met jou?' vroeg Kathleen.

'Hoe bedoel je?' vroeg Aaron hoewel hij maar al te goed wist waar ze op doelde.

'Wel ja, na die angstaanval van vannacht.'

Aaron wuifde dat onderwerp met een breed handgebaar weg. 'Och, dat. Dat is over.'

Hoewel Aaron er nogal onverschillig over deed, hoopte hij dat het de komende dagen niet meer zou onweren.

3

24 jeugdige hoofdjes keken zuster Rita leergierig aan terwijl ze vertelde over de geschiedenis van België. Ze had de gave om elk onderwerp zo aan te brengen dat iedereen in de klas geboeid luisterde. Nou ja, bijna iedereen. De dertienjarige Kris Meskens vouwde de geruite blaadjes die hij uit zijn schrift scheurde, tot vliegertjes en liet ze door de klas zweven. Zuster Rita was de enige lerares die hem een beetje onder controle kon houden, maar vandaag lukte het zelfs háár niet.

'Kris! Kan je eens herhalen waar de naam "België" vandaan komt?'

Kris keek op van het vliegtuigje dat hij aan het vouwen was en staarde zuster Rita recht in de ogen, zonder enige angst. Hij trok er zich niets van aan dat ze zich tot hem richtte. Integendeel, zijn ogen fonkelden. Hij stond graag in de belangstelling.

'Vertel jij het maar aan mij, jij bent de juf', zei Kris uitdagend.

'Dat heb ik zonet gedaan. Maar jij hebt blijkbaar niet goed opgelet.'

'Misschien was het wel te saai.'

Een zucht golfde door de klas. De andere leerlingen vroegen zich af waar Kris de durf vandaan haalde om zulke dingen te zeggen. Iedereen wist toch dat zuster Rita absoluut niet wenste te horen dat haar lessen saai waren. Daar kon je haar echt mee op haar paard krijgen. Aan de ogen van Kris te zien, wist hij dat maar al te goed.

'Als je me nu niet direct zegt waar de naam van ons land vandaan komt, mag je het aan de directeur gaan vertellen!'

Kris grijnsde. Maar de grijns was niet menselijk. Zijn gezicht vertrok tot een duivelse grimas. Rita deinsde achteruit tot ze met haar rug tegen het bord botste. De groene irissen van Kris kleurden rood. Twee hellepoelen. Het rood werd donkerder van tint en ging over in zwart. De duisternis van zijn ogen slokte haar op. Hoewel Rita bleef staan, voelde ze hoe ze naar zijn ogen werd gezogen. Rita raakte in paniek en schreeuwde zich de longen uit het lijf.

De leerlingen hoorden geen geschreeuw, maar zagen hoe zuster Rita haar mond wijdopen sperde en naar adem hapte alsof ze te kampen had met zuurstofgebrek.

Rita zakte in elkaar en bleef in foetushouding op de koele tegels liggen. Zijzelf besefte niet dat ze op de grond lag. Ze had het gevoel dat ze in de donkerzwarte vergeetputten was beland die eens de ogen van Kris waren geweest. De duisternis omsloot haar en ze bleef tieren en brullen alsof de kracht van haar longen haar uit deze situatie kon bevrijden.

Elke notie van haar omgeving was weg. De werkelijkheid om haar heen was nu een diepzwarte oneindigheid. De zwartheid wilde haar verteren. Zuster Rita werd gereduceerd tot een nietig stukje vlees in een gigantische maag en het was een kwestie van minuten voor de maagsappen haar cel voor cel zouden afbreken tot er niets meer van haar overbleef.

Terwijl een brandende, vlammende pijn haar trof in het diepste van haar ziel, trok een wirwar van beelden aan haar geestesoog voorbij. De projecties waren vluchtig als de wind en hoewel Rita de beelden kon zien, slaagde ze er niet in ze te interpreteren. Telkens ze een beeld wilde verklaren, volgde er een andere projectie die haar volledige concentratie vergde, waardoor het vorige beeld alle betekenis verloor.

Een bliksemschicht snijdt door de lucht. Een lamp wordt aangeknipt. Een oneindig zwart gat. Een krater op de maan. Een porie in het gezicht van een mens. Het laatste beeld zoemt uit zodat duidelijk wordt dat het een porie is in het bleke gezicht van zuster Mariann. De lippen van Mariann bewegen. De zuster wil iets zeggen, maar haar woorden zijn onbegrijpbaar, onvatbaar. En dan kan Rita de woorden plots wel horen, maar de betekenis dringt niet tot haar door. Het is alsof Mariann een oeroude taal spreekt. Dan volgt de projectie van een kruisbeeld. Er hangt een wansmakelijke geur omheen. De geur van iets dat aan het rotten is. Een lijk. Het lijk ligt bovenop maagdelijk witte lakens. En voor dit beeld enige betekenis krijgt, volgt er één van een grote, zwarte vogel die door het luchtruim vliegt. De vogel lijkt op een arend, maar hoe meer hij het aardoppervlak nadert, hoe groter hij wordt. Al vlug wordt het duidelijk dat het geen arend is. Het is de grootste vogel die de aarde ooit heeft bewoond. Zijn lijf is minstens twintig meter lang, zijn reusachtige vleugels klapwieken en veroorzaken een storm. Een storm die alles op aarde wegveegt tot er niets meer overblijft dan een moeras. De bek van de vogel lijkt op die van een reptiel. Een sissende tong glipt onverwachts naar buiten. En terwijl de vogel over Rita scheert, dringt het tot haar door dat deze vogel is gezonden door de duivel.

Rita opende haar ogen en keek verdwaasd om zich heen. De leerlingen staarden haar angstvallig en bezorgd aan, maar ze waren té geschokt om iets te ondernemen.

Rita's blik viel ongewild op Kris. Hij was even erg in shock als de andere leerlingen. Zijn irissen hadden weer de groene kleur aangenomen die ze altijd hadden gehad.

'Het is oké, ik… ik ben gewoon gevallen', probeerde Rita de leerlingen gerust te stellen, maar de woorden waren evenzeer bedoeld om zichzelf te kalmeren. De sussende woorden misten hun doel, ook bij de leerlingen.

Zuster Rita voelde dat er iets op til was en hoewel ze nooit in de duivel had geloofd, vreesde ze dat hij er een hand in had.

4

Marinus parkeerde zijn Mercedes op de plaats die voor hem was voorbehouden en liep met stevige tred naar de ingang van het politieke gedeelte van het gemeentehuis.

Enkele personeelsleden en toevallige voorbijgangers wensten hun burgemeester respectvol een goedemorgen, zoals het een goede inwoner past. Marinus begroette hen en was fier dat hij stuk voor stuk hun voornaam kende. Als burgemeester was het belangrijk dat je je inwoners kende. Ze verwachtten dat ook. Marinus werd door haast iedereen aangesproken met de titel 'burgemeester'. Hij had er al dikwijls op aangedrongen dat men hem bij zijn voornaam noemde, maar niemand leek zich daar goed bij te voelen.

De burgemeester legde zijn hand op de goudkleurige klink van de dikke, houten toegangsdeur, maar bleef plots staan. *Heb je de portieren van je wagen wel afgesloten?* Hij was er niet zeker van. Hij wandelde terug naar de parking, haalde de sleutel uit zijn zak en sloot de auto met de afstandsbediening. Nu was de Mercedes veilig voor potentiële dieven, al zouden die niet zo stom zijn om op klaarlichte dag een auto te stelen voor het gemeentehuis.

Marinus liep terug naar de ingang en duwde de deur open. *Heb je je auto afgesloten?* vroeg een knagend stemmetje opnieuw. Hoewel hij een nanoseconde voordat het stemmetje opdook, nog zeker had geweten dat hij de portieren van zijn Mercedes had vergrendeld, sloop de twijfel zijn hoofd binnen. Hij probeerde zich te herinneren hoe hij teruggegaan was naar de auto en dat lukte ook, maar hij slaagde er niet in zich voor de geest te halen dat hij daadwerkelijk de auto had afgesloten. Hoe langer hij aan de deur stond te aarzelen, hoe meer de herinnering vervaagde tot hij zelfs niet eens meer met zekerheid kon zeggen dat hij wel degelijk was teruggegaan naar de parking. Hij liep de trapjes af en begaf zich opnieuw naar zijn auto.

Toen hij opnieuw aan de inkomhal van het gemeentehuis stond, bekroop de twijfel hem opnieuw.

Zijn handen trilden van nervositeit. De burgemeester was er zich van bewust dat zijn gedrag niet normaal was en probeerde zichzelf te overtuigen dat er niets aan de hand was, maar het knagende stemmetje in zijn hoofd fluisterde het woord *Alzheimer*. Marinus deed alsof hij het stemmetje niet hoorde en beende naar zijn kantoor zonder dat hij de zekerheid had dat zijn auto op slot was. Met een klap sloeg hij de deur achter zich dicht en in zijn comfortabele lederen sofa trachtte hij tot rust te komen.

Achteroverleunend hapte hij naar adem, maar hij kon nauwelijks lucht in zijn longen zuigen, want een stekende pijn kwelde zijn linkerzij. Door zich te veel op die pijn te concentreren kreeg hij nog meer schrik dat er iets mis was met hem, waardoor het zweet overdadig uit zijn poriën stroomde. Al vlug was hij drijfnat en leek het alsof hij met zijn kleren aan onder de douche had gestaan.

Moeizaam richtte hij zich op en waggelde naar de ventilator. Zijn benen trilden onder zijn vadsige lichaam en konden het met moeite torsen. Twee keer stuikte hij bijna op de grond. Hij wiegde van links naar rechts, maar als bij wonder bleef hij op de been. Hij schakelde de ventilator aan en verwelkomde de frisse wind die het toestel naar hem blies. Stapje voor stapje keerde hij terug naar zijn sofa en liet er zich zuchtend in vallen. De stekende pijn in zijn zij was ondertussen ietsje afgenomen en hij liet zich de bries welgevallen. Er liep een rilling over zijn lichaam toen de dikke zweetlaag begon op te drogen.

TOK. TOK.

Er werd tweemaal kort, maar vastberaden op de deur geklopt.

'Ja?'

Het kale hoofd van de teergebouwde gemeentesecretaris piepte in het deurgat.

'Je bent er nog', stelde hij verbaasd vast.

'Tuurlijk.'

'Ga je vandaag niet naar huis lunchen?'

'Ja. Waarom?'

Marinus volgde de ogen van de secretaris die naar de klassieke wandklok blikten. De gemeente had de klok ontvangen van de burgemeester van de Franse gemeente Charlevillois waarmee Laarbeke elk jaar verbroederde. Zowel de grote als de kleine wijzer wezen recht omhoog. Twaalf uur. *Onmogelijk! Ik ben net gearriveerd. Het is maar halftien,* bedacht Marinus, maar de realiteit was dat het twaalf uur was. Uiterlijk bleef de burgemeester kalm, maar elke spier, elke zenuw trilde onder zijn huid.

'Ik ga soms ook zó op in mijn werk dat ik de tijd uit het oog verlies', zei de secretaris waarna hij ervandoor ging.

Maar dat was helemaal niet wat er aan de hand was. Marinus was nog niet eens aan het werk geweest. De hele voormiddag was aan hem voorbijgegaan zonder dat hij er ook maar iets van had gemerkt. Dit was te bizar voor woorden en als hij toch zinnen zou kunnen formuleren om het uit te leggen, zou hij niet eens weten aan wie hij ze moest richten. Niemand zou hem geloven. Hij geloofde het zelf niet.

Het knagende stemmetje in zijn hoofd bleef het over Alzheimer hebben, maar bij die mogelijkheid wilde hij niet stilstaan. Hij was gewoon moe, dat was alles. Zó moe dat de tijd hem voorbijsnelde en hem verward achterliet.

TOK. TOK.

'Ja?'

De secretaris stak zijn hoofd binnen. Zijn kale knikker weerkaatste de zon.

'Ik kwam gewoon even zeggen dat je auto niet op slot is.'

5

Gewillig liet Arthur zich door zijn kleindochter voortduwen in het park. Hij had geen andere keuze, want het ontbrak hem aan de kracht om de rolstoel zelf voort te rollen.

De laatste maanden had hij er zich bij neergelegd dat hij hulpbehoevend was, maar diep in zijn binnenste haatte hij het. Hij was altijd een zelfstandig iemand geweest die in het leven zijn eigen weg had gezocht, soms koppig, maar altijd met de beste bedoelingen voor hem en zijn naasten. Moed en doorzettingsvermogen vormden de basis van de garage die hij samen met zijn beste vriend uit de grond had gestampt. Zijn vriend had zich vooral beziggehouden met het management en de verkoop, terwijl hij niets liever had gedaan dan het herstellen van auto's, want voor hem was een dag pas het leven waard geweest als zijn handen en gezicht onder het smeersel zaten.

Het was ondertussen meer dan vijftien jaar geleden dat hij was besmeurd met olie. Zijn beste vriend had het bedrijf al vijf jaar eerder moeten verlaten om gezondheidsredenen en lag ondertussen al zeventien jaar onder de zoden. Gelukkig erfde Michel, de zoon van zijn beste vriend, de passie voor auto's en nam hij het bedrijf over.

'Hoe gaat het met de garage, Marissa?' vroeg Arthur aan zijn kleindochter.

Terwijl hij de vraag stelde, besefte hij dat hij haast elke dag hetzelfde vroeg. Wat haatte hij dat oude mensen altijd over hetzelfde praatten, en nu betrapte hij er zichzelf op. Zijn gezaag werkte zijn kleindochter ongetwijfeld op de zenuwen. Ook het gekraak in zijn stem beviel hem niet. Het was al erg genoeg in de spiegel te moeten vaststellen dat je oud was om het daarenboven ook nog eens te moeten horen.

Zijn kleindochter antwoordde zoals altijd met engelengeduld en hij vroeg zich af of hij als jonge kerel even geduldig was geweest met oude mensen. Het antwoord kwam snel. Absoluut niet.

'Michel doet dat voortreffelijk. Zijn klantenbestand blijft aangroeien, vertelde hij me. Zijn winst was nog hoger dan vorig jaar en dat terwijl de garage van De Graeve op sterven na dood is.'

Michel had de zaak overgenomen met de nodige flair. Mechaniek was hem vreemd, maar hij was een uitstekende verkoper. De herstellingen liet hij over aan een team van mecaniciens.

Arthur had van Marissa vernomen dat Michel nu zelf aan pensioen begon te denken, maar Bram, Michels neefje, zou hem opvolgen. Arthur was opgelucht dat zijn garage bleef voortbestaan, het voelde aan alsof hem dat onsterfelijk maakte na zijn dood.

Arthur nam zichzelf voor een paar weken niets over de garage te vragen zodat zijn kleindochter niet zou denken dat hij seniel werd. Nou ja, hij moest zich geen illusies maken, de kans was groot dat hij daadwerkelijk zijn verstand begon te verliezen. Dat gevoel werd nog groter toen Marissa hem voorbij een dikke, oude eik in het park voerde.

'Stop!'

Hij had rustig willen vragen of Marissa even op deze mooie plaats kon stoppen zodat hij van het uitzicht kon genieten, maar de zin bleef onuitgesproken en enkel het woordje 'stop' klonk uit zijn mond.

'Wat is er?'

Dat was de vraag die hij met de lange zin had willen vermijden, maar door dat ene woordje, dat hij haast had geschreeuwd, besefte zijn kleindochter dat er iets aan de hand was.

'Euh, niets. Even rusten', sprak hij zuchtend alsof hij diegene was die een oude man moest voortduwen.

'Gaat het wel, opa? Anders gaan we naar binnen, hoor.'

'Alles in orde', zei hij zo kalm mogelijk.

Maar was alles wel in orde? Hoe kon alles in orde zijn als hij zag wat hij zag? Hoe kon alles in orde zijn als de oude eik in het park plots zijn handtekening droeg?

L♥*A* stond gekerfd in de taaie bast van de eik. Louisa *loves* Arthur. Onmogelijk. Dit moest toeval zijn. Het kon net zo goed Luc *loves* Abby betekenen. Maar Arthur voelde aan dat het dat niet betekende. Hoewel hij de initialen jaren geleden niet uit de schors van een oude eik, maar uit een iep had gesneden, was dit ongetwijfeld zijn handschrift. Maar anderzijds besefte hij dat dit niet kon. Hoe kon zijn inkeping nu plots in deze boom op deze plaats staan? Er was maar één antwoord dat alles verklaarde: zijn verbeelding nam een loopje met hem. De waanvoorstelling ontsprong waarschijnlijk uit het feit dat gisterenavond die herinnering bij hem was losgeweekt. Meer niet. De fantasie van een oude man die wil sterven om zijn geliefde te vergezellen.

Hoe aannemelijk die uitleg ook klonk, hij wilde er zich niet bij neerleggen. Hij was nog genoeg bij zijn verstand om te beseffen dat die letters geen hersenspinsel waren. Of dacht hij alleen maar dat hij nog niet seniel was? Was hij in feite al weken of maanden niet meer bij zijn verstand en werd hij door de andere oudjes in het bejaardentehuis angstig bekeken omdat ze vreesden dat hen hetzelfde lot beschoren was? Alles was mogelijk sinds de dood van Louisa. De laatste drie jaar had hij zich te weinig in de realiteit durven begeven om op dit moment te kunnen oordelen waar de werkelijkheid eindigde en overging in een droom.

Een fractie van een seconde dacht Arthur eraan om Marissa te vragen of zij de inkeping in de boom zag, maar hij deed het niet. Hij was bang dat de initialen er helemaal niet zouden staan en dat zijn kleindochter zou denken dat er iets mis was met hem. Maar als hij heel eerlijk was tegen zichzelf, was hij net zo bang dat de initialen er wel zouden staan, want dat zou weleens kunnen betekenen dat zijn vrouw hem probeerde te bereiken vanuit het rijk der doden.

6

Kathleen probeerde zich te concentreren op de nieuwsuitzending van Ring TV waarin de nieuwslezer vertelde over het bezoek van de Amerikaanse president en de eerste minister van Engeland aan Brussel volgende week maandag, maar door het gebrul van Ayla verstond ze er nauwelijks een woord van. Het gehuil werd opgevangen door haar trommelvlies, drong haar hersens binnen en galmde daar nog enkele keren na. Op de duur leek het alsof er een dozijn baby's in huis lagen te krijsen.

Het was bijna kwart voor elf en Ayla had nog geen oog dichtgedaan. Normaal sliep ze elke voormiddag twee uurtjes, meestal van tien tot twaalf, maar nu bleef ze maar krijsen en gillen. Het geschreeuw werd met de minuut luider en opdringeriger, al besefte Kathleen dat het mogelijk was dat dit enkel zo aanvoelde omdat haar zenuwen overbelast raakten.

De jonge moeder werd met de minuut banger dat er iets ergs met Ayla aan de hand was. Voor de zoveelste keer haalde ze Ayla uit haar bedje en wiegde haar heen en weer. Het bracht niets op. Niets hielp. Ze had zowat alles geprobeerd. Ze had een fopspeen ingesmeerd met choco, maar die werd pertinent geweigerd. De medicatie tegen buikpijn en koorts had Ayla na een aantal verwoede pogingen wel ingeslikt, maar het middel had niets opgeleverd. Wiegen, wandelen, dansen, het was allemaal zinloos. Ayla bleef janken en haar kleine babyoogjes zagen zó rood dat het leek of ze een oogontsteking had. Misschien had ze die ook wel?

De nervositeit bij Kathleen werd steeds groter en de enige mogelijke ontlading bestond erin mee te huilen met Ayla. En daar zaten ze dan. Samen in de zetel, wenend voor de televisie waarop een nieuwsuitzending speelde die geen van beiden kon boeien.

'DING DONG.'

De luide deurbel kon nauwelijks het gehuil van Ayla overstemmen.

Met Ayla op de arm slofte Kathleen naar de deur. In een vluchtig gebaar wiste ze de tranen uit haar ogen waarna ze de deur opende.

Vóór haar stond een man met kortgeknipt, zwart haar. Zijn blauwe ogen blikten vriendelijk in die van haar.

'Goeiemorgen, mevrouw. Ik ben van de firma Arico en had u graag vrijblijvend laten kennismaken met onze gloednieuwe stofzuiger pentax-A-19. Als u dat wil, kan ik meteen een demonstratie ge…'

'Het spijt me, meneer. Zoals u ziet, heb ik het druk. Ik heb hier echt geen tijd voor.'

'Maar het duurt niet lang en…'

Voordat de verkoper zijn zin kon afmaken kreeg hij de deur in het gezicht. Hij schreeuwde het uit van de pijn.

Kathleen was anders helemaal niet kortaf en bruut. Ze durfde deur-aan-deurverkopers zelfs niet wegsturen voor ze iets had gekocht, meestal tegen haar zin, maar nu was een handelsreiziger het minste van haar zorgen en maalde ze er niet eens om dat ze de deur in zijn gezicht had geslagen.

Ze keerde terug naar de zetel, plofte erin en drukte Ayla beschermend tegen haar borst.

Samen met haar baby begon ze opnieuw te wenen, maar toen na een tijdje het huilen geen voldoende uitlaatklep meer bood en de ongerustheid haar volledig in haar greep kreeg, besloot ze dokter Van Gierde te bellen. Ze viste het kaartje uit haar portemonnee en stelde vast dat de dokter vandaag geen huisbezoeken deed, maar heel de dag op zijn praktijk zat. Kathleen wilde geen andere dokter bellen en kon niet wachten tot morgen. Ze besliste nu naar Van Gierde te rijden.

Ze legde Ayla in de maxi-cosi, gespte de riempjes vast, griste haar sleutels van tafel en stapte de deur uit. Nadat ze de maxi-cosi achteraan in haar bescheiden VW Beetle had gezet, vertrok ze. Onderweg belde ze met haar gsm naar Aaron om te zeggen wat ze van plan was. Aaron klonk bezorgd en beaamde dat dit het beste was wat ze kon doen.

Ayla hield niet op met brullen, zelfs niet in de auto, de plaats waar ze anders altijd meteen in slaap viel.

Hoe meer Kathleen de dokterspraktijk naderde, hoe meer ze begon te denken dat er iets ernstigs aan de hand was met Ayla. Om het wenen van haar baby een beetje naar de achtergrond te plaatsen, zette ze de radio aan. 'Cry for me Argentina' van Madonna klonk uit de luidsprekers en Kathleen lachte inwendig omdat ze net dit liedje speelden, maar op haar gezicht bloeide geen glimlach open, er vloeiden enkel tranen.

Kathleen sloeg rechtsaf en wilde het plaatselijke bruggetje oversteken dat een zijtak van de Zenne overspande, maar slaagde er niet in. Haar rechtervoet trok zich terug van het gaspedaal en duwde hard op de rem. Het was alsof haar hersens aan haar voet die opdracht hadden gegeven zonder dat zijzelf daarvan in kennis werd gesteld, net zoals wanneer je remde wanneer onverwachts een weggebruiker uit een zijstraat voor je opdook. Maar er was geen andere auto, fietser of voetganger. Er was helemaal niemand. Kathleen kon gerust het bruggetje oprijden zonder enig risico op een ongeval, maar ze deed het niet. De auto bleef ter plaatse staan, het ronken van de motor nog net hoorbaar doorheen het gezang van Madonna en het gehuil van Ayla.

Kathleen probeerde haar voet op het gaspedaal te plaatsen, maar haar been begon hevig te trillen en ze vreesde dat als ze haar beweging verderzette, een kramp in haar kuit zou schieten. Haar voet ging weer op de rem staan.

Kathleen begreep totaal niet wat er met haar aan de hand was en ze had ook geen zin om er langer over na te denken. Ayla krijste haar longen haast uit haar tere lijfje en het was nu belangrijk om zo snel mogelijk bij de dokter te zijn. Ze ondernam een volgende poging om verder te rijden, maar ze faalde grandioos. Haar voet wilde niet eens meer richting gaspedaal bewegen.

De dokterspraktijk was niet al te ver van de plek waar ze stond en ze besloot te voet te gaan. Maar dan moest ze hier wel eerst weg, want ze stond in het midden van de rijweg geparkeerd. Kathleen zette de auto in zijn achteruit en als bij wonder plantte haar voet zich nu wel op het gaspedaal. Ze reed de kleine parking van de fruitwinkel op, legde de motor stil en stapte uit.

Met de maxi-cosi in de hand stapte ze naar de brug. Een vijftal meter voor de kleine boogbrug bleef ze staan. Haar benen weigerden dienst. Het was alsof iemand een grap had uitgehaald en het trottoir met secondelijm had ingesmeerd zodat alle voetgangers kwamen vast te zitten. Maar er was iets heel anders aan de hand want de andere voetgangers slaagden er wel in verder te stappen.

Kathleen keek naar de brug en voelde de wereld om zich heen draaien. Ze duizelde en ze verlegde haar blik naar de grond. De maxi-cosi zette ze op de straatstenen. Haar hele lichaam trilde. Ze had een angstaanval of zoiets. Maar waarvan was ze bang?

Met de vraag kwam plots het antwoord. De kleine gemeentelijke brug. Die boezemde haar angst in. Maar ze was niet zomaar bang. Nee. Het was niet de angst die je voelt wanneer je in een achtbaan in een attractiepark zit. Ook helemaal niet de angst die je overmant wanneer een dikke spin plots voor je opduikt. Het was de angst die je in zijn greep heeft wanneer het tot je doordringt dat je gaat sterven, dat je laatste uur op aarde geslagen is en dat je op een gruwelijke manier aan je einde zal komen. Een angst die zó overweldigend is dat je bidt om nu direct te sterven zodat je niet moet wachten op het vreselijke lot dat je wordt toebedeeld.

Kathleen zette haar mond wagenwijd open en schreeuwde het uit. Haar nekspieren spanden zich op als staalkabels en stonden op knappen. Nog nooit had ze zó luid en krankzinnig gehuild en ze besefte niet eens waarom ze het deed. Ze stond gewoon voor het gemeentelijke brugje, dat was alles. Ze had geen pijn, er was alleen die diepe, huiveringwekkende oerangst die ieder mens weleens schreeuwend doet ontwaken uit een nachtmerrie die hij zich daarna niet meer herinnert. En het schreeuwen hield niet op. Het klonk zó luid dat het een mirakel was dat haar stembanden niet scheurden. Het was alsof ze die verschrikkelijke angst binnenin enkel kwijt kon door te brullen.

Enkele weggebruikers keken Kathleen verbaasd aan, maar durfden door haar vreemde gedrag niet dichterbij komen.

Uiteindelijk pakte Kathleen, nog steeds krijsend, de maxi-cosi op en sprintte naar huis. De VW Beetle bleef eenzaam achter. Toen Kathleen een honderdtal meter verwijderd was van het bruggetje, kreeg ze opnieuw controle over haar stembanden en stopte met gillen.

7

Dokter Merens knikte goedkeurend terwijl de lucht uit de bloeddrukmeter ontsnapte.
'Negen over vijf. Redelijk laag, maar niets om u zorgen over te maken.'
'Doe ik niet, dokter. Mijn bloeddruk is altijd aan de lage kant.'
'Hebt u zich op andere momenten ook nog flauwtjes gevoeld?'
Rita schudde het hoofd.
'Mmm... voor de zekerheid schrijf ik u toch maar Aramine voor zodat u niet opnieuw van uw stokje gaat.'
'Helpt het niet als ik gewoon wat meer zout eet? Dan stijgt de bloeddruk toch ook?'
'Dan zou ik toch eerder de medicatie aanraden', grijnsde de dokter.
Rita probeerde te glimlachen, maar haar gezicht vertrok in een grimas. Ze geloofde niet dat ze was flauwgevallen door een te lage bloeddruk. Er moest een andere verklaring zijn. Rita had het gevoel dat er lichamelijk niets met haar aan de hand was, het was iets anders, iets ondefinieerbaars.
De dokter richtte zich op van de houten stoel die naast haar bed stond.
'Morgen kom ik nog eens langs, zuster. Blijf tot dan al zeker in bed.'
'Dat is niks voor mij, dokter. Ik moet met iets bezig zijn.'
'En ik die dacht dat jullie de hele dag alleen maar in bed lagen om tot God te bidden', grijnsde dokter Merens. Tegen een andere kloosterlinge zou hij zoiets niet zeggen, maar hij wist dat Rita een kwinkslag best kon appreciëren.
Rita wees naar boven. 'Hij heeft wel wat beters te doen dan de hele dag naar ons gezaag te luisteren.'

Dokter Merens lachte hardop, een sputterende lach, het kabaal van een auto die tevergeefs probeerde te starten. 'Nou, tot morgen dan maar, zuster.'

'Tot morgen, dokter.'

Toen dokter Merens de deur uit was, staarde zuster Rita bedenkelijk naar het witte plafond met de gouden engelenmotieven. Wat was er in de klas toch gebeurd? De engelen staarden haar zwijgend aan, van hen moest ze geen antwoord verwachten.

Rita probeerde zich de beelden die haar hadden overweldigd, terug voor de geest te halen. Tot haar verbazing kon ze zich haast elk detail van de projecties herinneren, maar het deed pijn. Ontzettend veel pijn. De beelden waren als scheermesjes die haar geest openhaalden als ze er durfde naar kijken. Ondanks de pijn bleef ze de beelden bestuderen, haar ogen dichtgeknepen en haar tanden op elkaar bijtend om de snerpende pijn te onderdrukken.

Ze werd gewaar dat er een betekenis achter de beelden zat. Iemand had die projecties in haar hoofd gestopt omdat ze een raadsel moest ontrafelen. Maar wie wilde haar iets duidelijk maken? En waarom?

Een bliksemschicht snijdt door de lucht. De lippen van Mariann bewegen. Het lijk ligt bovenop maagdelijk witte lakens. Een grote, zwarte vogel vliegt door het luchtruim. Zijn reusachtige vleugels klapwieken en veroorzaken een storm, die alles op aarde wegveegt tot er niets meer overblijft dan een moeras.

Rita haalde het beeld van het onherkenbare lijk dat op het bed lag, opnieuw voor de geest en zag nu iets dat ze de eerste keer niet had gezien. Op de vloer naast het bed lag een dood dier. Een koe. De koe die ze gisteren door het raam van haar kamer had zien liggen, getroffen door de bliksem, een Petruskruis ingebrand op de rug.

Er daagde de zuster nog iets. De blanke lakens lagen op een antiek, houten bed. Ze herkende dat bed, het was dat van Bernadette, de oude schooldirectrice, die in het bijgebouw naast het klooster leefde. Ze was 92 jaar en kwam al acht maand niet meer uit bed. Een kankergezwel had haar lever aangetast en hoewel ze volgens de dokters een jaar geleden al had moeten heengaan, leefde ze nog steeds.

Er werd op de kamerdeur geklopt. Zuster Rita schrok op.

'Binnen.' Terwijl ze dat ene woord uitsprak, wist ze al dat het zuster Mariann was die de deur zou openduwen.

Het was inderdaad Mariann. 'Hoe gaat het met je?' vroeg ze.

Rita ging er niet op in, maar staarde zuster Mariann recht in de ogen.

'Je komt me iets vertellen, nietwaar?'

'Euh... ja... ik...'

Enkele van de beelden vielen plots als driedimensionale puzzelstukjes in elkaar.

'Bernadette ligt op sterven, niet?'

Zuster Mariann antwoordde niet, maar keek Rita met open mond aan, alsof ze getuige was van een mirakel.

'Ik ga direct naar haar toe.'

'Je... je moet in bed blijven.'

'Bernadette is mijn beste vriendin!'

Zuster Mariann ging er niet verder tegenin omdat ze wist dat Rita te koppig was om te luisteren en haar zin toch zou doordrijven, maar ook omdat ze nog steeds verbouwereerd was omdat Rita op voorhand had geweten wat er aan de hand was. Zuster Mariann bedacht dat Rita het misschien van haar gezicht had kunnen aflezen, maar ze voelde intuïtief aan dat er iets anders aan de hand was.

Bij het overschrijden van de drempel van de kamer van Bernadette zag Rita al in dat haar vriendin niet lang meer te leven had. De huid van haar gezicht was gelig verkleurd en haar ogen staarden naar een wereld waarin ze elk moment kon worden opgenomen.

Pastoor Wilkeneers stond over Bernadette gebogen en diende haar het Heilig Oliesel toe. De pastoor zalfde het voorhoofd en de handen van Bernadette met gezegende olie van plantaardige afkomst. 'Moge onze Heer Jezus Christus door deze heilige zalving en door Zijn liefdevolle barmhartigheid u bijstaan met de genade van Zijn Heilige Geest. Moge Hij u van zonden bevrijden, u heil brengen en verlichting geven.'

Bernadette bleef naar de andere wereld staren en fluisterde de naam van haar vriendin. 'Rita...' Het kwam als een zucht uit haar mond, alsof de wind de naam fluisterde.

Rita pakte de slappe hand van haar vriendin beet, die verrassend sterk in haar vingers kneep. Het deed Rita deugd om even de sterkte te voelen die Bernadette vóór haar ziekte altijd had gehad.

Bernadette draaide het hoofd naar Rita. Haar bloeddoorlopen ogen keken haar strak aan. Ze opende haar mond en de woorden kwamen moeizaam over haar lippen. Het ijle gefluister bereikte nauwelijks Rita's trommelvliezen en ze moest zich wat verder vooroverbuigen om haar vriendin te kunnen verstaan.

'Rita… Zie je… Zie je?'

De ogen van Bernadette smeekten om een antwoord, maar Rita begreep niet waar haar vriendin op doelde. Hoewel Rita niet antwoordde, woei er een zucht van opluchting over Bernadettes gekloven lippen, alsof Rita door te zwijgen het juiste antwoord had gegeven.

'Je… je… Ziet!'

Bernadette sprak het woord 'Ziet' met zo'n eerbied uit dat het leek alsof ze het woord 'God' in de mond nam. Rita wist eerst niet waarover Bernadette het had. Waarschijnlijk het ijlen van een stervende. Maar dan drong de betekenis plots wel tot haar door. Had Bernadette het over haar visioenen? Wist haar vriendin dat ze beelden Zag? Maar waarom zei ze dat nu? Waarom was het voor haar zo belangrijk dit mee te delen net voor ze heenging?

'Ik sterf… keer op keer. Zoals… je… de toekomst… Ziet… Zie… je… het verleden…'

Rita wist nu wel zeker dat Bernadette het over haar visioenen had, maar ze had er geen idee van wat haar vriendin haar probeerde duidelijk te maken. *Ik sterf keer op keer. Zoals je de toekomst Ziet, Zie je het verleden.*

Rita kreeg niet de tijd om er nog verder over na te denken, want Bernadette sprak opnieuw: 'Het… is… de mist…. Rita… de… nachtblauwe mist… zal… neerdalen… en iedereen… meenemen… naar… de hel.'

Bernadette spuwde het laatste woord uit alsof het een vieze smaak had. En daarna zei ze niets meer. Haar ogen vielen dicht. Ze was dood.

Rita knielde neer naast Bernadette, legde het hoofd op de borst van haar vriendin en liet haar tranen de vrije loop.

Aaron keerde een uurtje vroeger naar huis omdat hij doodmoe was. Soms voelde hij zich uitgeput zonder enige reden, maar nu was het duidelijk dat de nachtelijke kuren van Ayla hem parten speelden. Thuis zou hij zich onmiddellijk in de sofa nestelen en in slaap dommelen. Vandaag zou hij eens geen klusjes opknappen in hun huis, dat had de voorbije weken al genoeg tijd opgeslorpt. Stilaan begon hij er spijt van te krijgen dat ze geen grotere hap uit hun budget hadden genomen om een nieuwbouw te laten zetten. Sleutel op de deur. Geen geknoei, geen gewroet, kortom, geen zorgen, maar onmiddellijk een sleutel in de hand waarmee je je prachtige nieuwe huis kon betreden.

Toen hij de voordeur opende, zag hij direct dat er van slapen in de sofa niets in huis zou komen. Kathleen lag languit in de sofa, haar gezicht lijkbleek, haar ogen dof en uitdrukkingsloos. Haar hand beroerde routinematig de wieg naast de sofa, maar Ayla bleef onophoudelijk krijsen.

Aaron hurkte neer naast zijn vrouw. 'Gaat het wel met je?' vroeg hij bezorgd.

'Niet echt. Ik ben zo moe.'

'Wat zei de dokter?'

Kathleen liet de wieg los en masseerde met haar vingertoppen haar slapen om de hoofdpijn te verdrijven. 'We zijn er niet geraakt.'

'Hoe bedoel je?'

'Zoals ik het zeg.' zei ze bits. 'We zijn niet tot bij de dokter geraakt.'

'Was hij er niet?'

'Ik... ik stond met Ayla aan het bruggetje en toen... toen durfde ik niet meer verder.'

Aaron wilde haar vragen wat ze daar in 's hemelsnaam mee bedoelde, maar Kathleen gaf hem de kans niet.

'Het was alsof ik zou verscheurd worden als ik over het bruggetje reed...' Plots leek ze zich iets te herinneren. 'Ik geloof dat ik de auto daar heb laten staan.'

'Hoe ben je dan thuisgeraakt?'

Aaron voelde zijn stem lichtjes beven. Zijn vrouw gedroeg zich zó vreemd dat hij het zelf benauwd kreeg.

'Ik ben met Ayla naar huis gelopen, denk ik', zei ze afwezig, waarna ze plots vol overtuiging knikte. 'Ja, ik ben te voet gegaan.'

'Te voet? Waarom?'

'Ik weet het niet. Ik was zó bang dat ik niet meer wist wat ik deed. Ik denk dat ik geschreeuwd heb. Oh God, wat was ik bang.'

'Van de brug?'

Kathleen keek haar echtgenoot strak aan en fluisterde. 'De brug wilde me opslokken, Aaron, ze wilde me verslinden!'

Aaron wist niet wat hij daar mee moest. 'Ga nou maar rusten.' zei hij. 'Ik ga met Ayla naar de dokter. De auto halen we morgen wel.'

'Als je niet langs dat verdomde bruggetje rijdt, wil ik wel meegaan', zei Kathleen, maar toen ze zich oprichtte, besefte ze pas hoe slapjes ze zich voelde.

'Ik ga wel alleen. Tot straks.'

Aaron gespte de huilende Ayla vast in de maxi-cosi en stapte met haar naar buiten.

9

Ceulemans was geen stap verder geraakt in het onderzoek naar het verdwenen meisje. Ze was nu al meer dan 18 uur spoorloos.

Samen met agent Sanders had hij verscheidene personen ondervraagd en de omgeving uitgekamd, maar geen enkel spoor leidde naar Lisa. Het was alsof ze na café "De Kastelein" van de aardbol was verdwenen.

George, Lisa's vriend, had verteld dat Lisa inderdaad was opgestapt omdat hij een ander meisje in de bar had aangesproken, heel onschuldig allemaal volgens hem. Lisa vond het heel wat minder onschuldig en vertrok meteen naar huis, maar daar was ze nooit gearriveerd.

De beste vrienden en vriendinnen van het meisje vertelden Ceulemans en Sanders niets dat enig ander licht op de zaak wierp. Ook de cafébaas en het meisje dat door George was aangesproken, hadden weinig of geen nieuws aan te brengen.

Ceulemans had dan maar op Lisa's school de punten van haar examens opgevraagd die ze al had afgelegd. De punten die al bekend waren, waren heel hoog en niet de reden waarom Lisa was weggelopen. Het was uiteraard mogelijk dat ze dacht dat ze een slecht examen had afgelegd maar dat viel uit de punten niet af te leiden.

Ceulemans tastte in het duister. Hoe ingewikkeld een zaak ook was, er was altijd wel een stukje informatie waarop je verder kon bouwen, maar deze keer niet. En dat beviel Ceulemans niet.

Nadat de hoofdinspecteur en Sanders de belangrijkste interviews hadden afgenomen, had hij de agent naar huis laten gaan. Hijzelf was op het politiebureau gebleven en zat daar nu al een hele dag. Hij had enkele patrouilles de opdracht gegeven om verschillende elementen verder te onderzoeken en het vriendje van Lisa te schaduwen. George leek onschuldig, maar dat betekende nog niet dat hij dat ook was.

Ceulemans had vanochtend ook al contact opgenomen met de Procureur des Konings. Op diens vraag had hij de Cel Vermiste Personen van de Federale Politie ingelicht. Die zou een driestappenplan uitvoeren, namelijk een profiel opstellen van Lisa, bepalen of het om een onrustwekkende verdwijning ging en verschillende hypotheses overlopen. Ceulemans hoopte dat de Cel Vermiste Personen al snel opnieuw contact met hem zou opnemen. De Cel werkte heel goed samen met lokale politiediensten, dat had hij tenminste toch horen zeggen, in Laarbeke was hij nog nooit geconfronteerd geweest met een onrustwekkende verdwijning. Weleens met de occasionele dronkelap die ergens in een gracht zijn roes uitsliep omdat hij de weg naar huis niet vond, maar daarvoor schakelde hij de Cel Vermiste Personen niet in.

Het vadsige lijf van korpschef Verbaanderd waggelde naar hem toe. 'Al nieuws?'

Ceulemans schudde het hoofd.

'Zou jij niet eerst thuis wat gaan slapen? Met een duffe kop ben je waardeloos.'

Ceulemans haalde de schouders op. Hij had helemaal geen zin om te slapen. Hij vreesde dat hij ook helemaal niet zou kunnen slapen, maar besefte dat de korpschef gelijk had. Misschien kon hij beter nadenken

als hij een beetje was opgefrist. Hopelijk kwam hij thuis een beetje tot rust en vond hij daarna een spoor om het onderzoek open te breken. Ceulemans griste zijn politiejack van de kapstok. 'Bel me als er iemand van de Cel Vermiste Personen contact opneemt.'
'Uiteraard.'
Met tegenzin liep Ceulemans het bureau uit. Hij hoopte dat zijn vrouw nog niet thuis was van haar werk, want op dit moment kon hij een echtelijke confrontatie missen als kiespijn.

10

Terwijl dokter Van Gierde Ayla onderzocht, bleef ze onophoudelijk wenen. De dokter stelde allerlei vragen aan Aaron. Vanaf wanneer was Ayla beginnen huilen? Weende ze dikwijls? Had ze soms last van haar buikje? Aaron beantwoordde de vragen zo gedetailleerd mogelijk.
Nadat dokter Van Gierde de longen en het hart met een stethoscoop had beluisterd, haar onderbuik had betast en in de mond en de keel had gekeken, kwam hij tot een conclusie die Aaron helemaal niet had verwacht.
'Ayla blaakt van gezondheid', sprak hij met zijn onmiskenbaar Hollands accent.
'Maar ze heeft de laatste uren al meer gehuild dan de voorbije vier maand!' wierp Aaron op.
'Ik kan alleen zeggen wat ik zie. Krampjes lijken mij het meest voor de hand liggend, maar voor alle veiligheid verwijs ik jullie door naar een pediater.'
Zonder een telefoonboek te raadplegen vormde dokter Van Gierde een nummer dat hem in gesprek bracht met de secretaresse van pediater Vanhove, die een praktijk had in Laarbeke aan het kanaal. Hij legde de situatie uit, waarna de secretaresse hem een datum en uur voorstelde. Hij legde een hand op de hoorn en richtte zich tot Aaron.
'Morgen, kwart over twee, past dat voor jou?'
'Geen probleem.'

'Morgen, kwart over twee', bevestigde dokter Van Gierde aan de telefoon en legde op.

Aaron betaalde en verliet met Ayla de praktijk.

Toen hij buitenkwam, kromp hij ineen. In de verte verlichtte een bliksemflits de hemel. Aaron bad dat het onweer niet dichterbij kwam.

11

Hoewel zijn hersens zich constant met de verdwijningszaak hadden beziggehouden, was Ceulemans in slaap gesukkeld. Ook tijdens zijn ondiepe slaap was Lisa geen seconde uit zijn gedachten geweest. Daardoor reed hij nog vermoeider dan hij al was terug naar het politiekantoor.

Hij liep meteen het bureau van Verbaanderd binnen.

'En korpschef? Al nieuws van de Cel Vermiste Personen?'

Verbaanderd schudde het hoofd, graaide een nootje uit het zakje vóór hem en beet erop. Het maakte een enerverend krakend geluid.

Ceulemans had het liefst de zak met nootjes door de strot van de korpschef geramd. Hij hield niet van diens lakse, ongeïnteresseerde manier van doen en nu hij zo moe was, haatte hij die al helemaal.

'Ik bel ze zelf nog eens op', besloot Ceulemans.

'Goed idee.'

Ceulemans kreeg inspecteur Vandriessen aan de lijn.

'Ik wilde jullie net opbellen', zei Vandriessen.

'Dat werd tijd ook', beet Ceulemans hem toe.

Vandriessen negeerde de opmerking. 'Wij hebben daarnet vernomen dat Lisa is opgemerkt op een trein richting Frankrijk. Onze collega's in Frankrijk hebben het meisje tegengehouden, maar ze zei dat ze een reisje maakte naar Parijs. Aangezien ze meerderjarig is, kunnen wij verder niets ondernemen.'

Ceulemans schrok van deze informatie. Waarom zou Lisa weglopen in het midden van de examenperiode? Dan tóch omwille van haar vriend?

Misschien wel, maar Ceulemans kon het moeilijk geloven. Hoe hij de nieuwe informatie ook interpreteerde, het klopte van geen kant.

'Ben je zeker dat het Lisa Cuypers was?' vroeg Ceulemans.

'Honderd procent zeker. De Franse autoriteiten hebben het grondig gecheckt. Ze wilde geen contact opnemen met haar ouders.'

Ceulemans wilde zeggen dat hij toch niet overtuigd was door deze informatie, maar besefte dat het nogal stom zou klinken.

'We hadden trouwens al een profiel van Lisa opgesteld', lichtte Vandriessen toe. 'En eerlijk gezegd hadden we zoiets al verwacht. Midden examenperiode, ruzie met vriendje. Al veel gezien.'

Nadat Ceulemans had opgelegd, bleef er een wrange smaak achter. Zijn verstand vertelde hem dat er iets niet juist was. Ook zijn instinct gilde dat het niet klopte. Maar hij had geen enkel bewijs. Of liet zijn intuïtie hem deze keer toch in de steek? Was Lisa echt naar Parijs? Als de Cel Vermiste Personen dit meedeelde, moest het wel zo zijn.

Ceulemans bleef er nog een hele tijd over tobben en besloot uiteindelijk de ouders van Lisa in te lichten. Die geloofden geen woord van zijn uitleg en waren verbolgen dat hij met een dergelijk verhaal kwam aandraven.

12

Het geluid van een piepende deur haalde Kathleen uit haar diepe, droomloze slaap. Aaron daalde de trappen af, zijn natte haren hingen warrig op zijn voorhoofd.

'Ben je allang thuis?'

'Een kwartiertje. Ik ben gewoon even onder de douche gesprongen.'

'Waar is Ayla?'

'Ze slaapt in haar bedje.'

'Eindelijk! Heeft de dokter haar iets gegeven?'

'Nee. Volgens hem is alles in orde met haar. Maar voor de zekerheid heeft hij voor morgen een afspraak geregeld met pediater Vanhove. Hoe gaat het met jou?'

'Gaat wel. Ik heb goed geslapen.'

Toch voelde Kathleen zich nog heel moe. Ze had niet veel zin om naar haar werk te bellen en opnieuw verlof te vragen voor de dag erna, maar ze zag geen andere uitweg. Aaron had het een stuk makkelijker. Die kon voor Ayla's bezoek aan de dokter omstandigheidsverlof opnemen, maar dat zou haar baas nooit toestaan.

Ze kreeg gelijk. Anthony werd woedend omdat ze alweer thuisbleef. Hij herinnerde haar eraan dat ze twee dagen later een presentatie moest houden in Nederland bij de koekjesproducent. Hij wond er geen doekjes om dat als ze die klant niet binnenhaalde, ze niet meer moest komen werken. Kathleen probeerde haar baas te sussen en zei dat het wel los zou lopen. Ze zou morgen thuis de presentatie terdege voorbereiden.

'Heb je eigenlijk al een slogan?' vroeg haar baas.

'Euh… wel al een ideetje.'

'Een ideetje? Heb jij thuis wel een computer om een presentatie te maken om jouw *ideetje* grafisch te ondersteunen?'

'Geen probleem, wees gerust, het komt in orde.'

'Weet je wat, ik ben er helemaal niet gerust in. Wat is je slogan eigenlijk?'

'Euh… Koekjes van De Craeme, koekjes met een hart.'

De verbinding werd bruusk verbroken, waarmee haar baas duidelijk maakte dat ze op zoek moest naar een andere slagzin.

13

Zoals elke maand reed Marinus samen met eerste schepen Alfons Casteels naar de gemeenteraad. Fons was van dezelfde partij als Marinus en het was een gewoonte om in de auto de meest hachelijke agendapunten al eens door te nemen.

Vandaag was er slechts één precair punt, namelijk de nieuwe afvalregeling van het containerpark. De prijzen werden verhoogd, de openingsuren verminderd en de controle verstrengd. Geen wonder dat de oppositie daar zou op springen, maar Marinus wist wel al hoe hij de nieuwe regeling kon verdedigen. De dienst leefmilieu had een studie gemaakt van de afvalpolitiek van maar liefst dertig gemeenten en het bleek dat Laarbeke er als beste uitkwam. Uiteraard had de burgemeester de statistieken een beetje gemanipuleerd en de gemeenten die beter scoorden dan Laarbeke niet opgenomen in het onderzoek. Met cijfers en statistieken kon je nu eenmaal alles bewijzen en je was dan ook dom als je dat niet deed.

De burgemeester en de eerste schepen hadden het niet alleen over de gemeenteraadszitting maar ook over de receptie in Brussel 's maandags van de week daarna, waar Marinus was op uitgenodigd. De president van de Verenigde Staten, de eerste minister van Engeland en enkele politieke leiders uit andere landen hadden in Het Europees Parlement in Brussel een onderhoud over de thema's economie en vrede. Na het debat volgde een receptie waarop ook de burgemeesters uit de gemeenten van de rand rond Brussel waren geïnviteerd. Omdat de hooggeplaatste heerschappen dan allang pleite zouden zijn, had Marinus besloten niet te gaan. Hij vond het belangrijker in het cultuurcentrum van Laarbeke de jaarlijkse zomertentoonstelling te openen.

Zoals tijdens elke gemeenteraad zaten de raadsleden achter de lange tafels die in U-vorm stonden opgesteld. Opzij stonden enkele stoelen voor de leden van de pers en de geïnteresseerde inwoners.

De gemeenteraad van Laarbeke bestond uit dertien gemeenteraadsleden, onder wie drie schepenen en de burgemeester. Cuypers was het enige afwezige gemeenteraadslid, niet verwonderlijk na het weglopen van zijn dochter. Marinus kon niet zeggen dat hij het spijtig vond dat Cuypers zijn dochter ervanonder was gemuisd, want Cuypers zat in de oppositie en werd stilaan geliefd bij de bevolking. Cuypers liet uitschijnen dat hij de ideale vrouw, ideale zoon en ideale dochter had. Dit laatste werd nu met een krachtig gebaar door zijn eigen dochter van tafel geveegd. Dit incident was allesbehalve positief voor zijn politieke positie in de gemeente. De mensen zouden zich afvragen of hij wel een gemeente kon leiden als hij nog niet eens zijn eigen familie in de hand had.

Een glimlach speelde om de lippen van Marinus. Tja, niet alleen op Vlaams of federaal niveau werden er vuile spelletjes gespeeld, ook op lokaal vlak was politiek niet voor doetjes. Marinus had van zijn familie geen schandalen te vrezen. Zijn vrouw was twintig jaar geleden aan kanker gestorven en zijn zoon was een doodbrave jongen, die net zoals zijn vader in de politiek wilde stappen. Marinus hield van zijn zoon, maar besefte dat hij het niet ver zou schoppen in de politiek. Theo was een goudvisje tussen een school haaien.

De gemeenteraad verliep vlot en hoeveel kabaal de oppositie ook maakte, de meerderheid had het voor het zeggen. Eigenlijk maakte het geen zak uit wat er in de gemeenteraad gebeurde, want alles was op voorhand al beslist door de meerderheid. Bij een goedkeuring van een voorstel in het college van burgemeester en schepenen was het al zeker dat het in de gemeenteraad zou bekrachtigd worden.

De gemeenteraadszitting was wel belangrijk om de pers te bespelen, want de aanwezige journalisten waren op zoek naar sensatie en verwerkten in hun krantenartikels de interpellaties van de gemeenteraadsleden.

Nadat het nieuwe reglement betreffende het containerpark en de afvalverwerking door de meerderheid was goedgekeurd, gebeurde er iets heel vreemds. De gemeenteraadsleden begonnen te discussiëren over de kostprijs van de renovatie van de Catharinakerk. Dat was het 28ste agendapunt. Marinus vroeg zich af waarom ze niet naar punt dertien gingen over de subsidies aan verenigingen. Waarom werden er zomaar vijftien zaken overgeslagen?

Marinus blikte opzij naar de gemeentesecretaris. 'Waarom gaan we niet door met punt dertien?'

'Punt dertien?' kwam de secretaris uit de lucht vallen. Hij wees naar de agenda van de gemeenteraad. Hij had zoals altijd een vinkje gezet naast alle punten die behandeld waren. De cijfertjes 1 tot en met 27 waren aangevinkt.

'De... de vorige punten zijn behandeld?' vroeg Marinus ongelovig.

'Uiteraard.'

'Maar ik... euh... heb ik iets gezegd?'

De secretaris tuurde over zijn brilmontuur naar de burgemeester, zich afvragend wat de burgemeester bezielde.

'Jij leidt toch alle punten in?'

'Ah, ja, natuurlijk, maar...'

Marinus begreep dat hij maar beter zijn mond hield. Het zweet droop als hete, vettige siroop uit zijn poriën en zijn onderhemdje was binnen de kortste keren doorweekt.

Alzheimer. Dat ene woord tolde opnieuw rond in zijn hoofd. Mocht hij in God geloofd hebben, hij had tot Hem gebeden om hem te sparen, maar Marinus geloofde niet in God en wist niet tot wie hij zich dan wel kon richten om hulp in te roepen.

De burgemeester zette zijn bril af, sloot zijn ogen en wreef hard over zijn oogleden.

Iemand stootte tegen zijn arm. De secretaris.

'Ga je er nog aan beginnen?'

Marinus zette zijn bril weer op. 'Goed. Euh… aan welk agendapunt zitten we nu?'

De secretaris keek hem verbaasd aan. 'We moeten nog beginnen.'

De burgemeester blikte verbaasd naar de agenda van de secretaris, waarop nog geen enkel vinkje te bespeuren viel.

Wat was er toch aan de hand? Kon dit Alzheimer zijn? Leek het dan alsof je heen en weer werd geslingerd in de tijd? Marinus wist het niet. Hij was maar van één ding zeker en dat was dat hij vanavond niet in staat zou zijn om de gemeenteraad voor te zitten.

'Fons, kan… kan jij het van mij overnemen en… me excuseren?' vroeg Marinus met trillende stem aan de eerste schepen.

De secretaris, de schepenen, de gemeenteraadsleden, de leden van de pers, enkele inwoners en de agent die het toezicht hield, staarden de burgemeester bevreemd na toen hij naar buiten strompelde.

De trip naar de deur leek een eeuwigheid te duren en toen Marinus ze eindelijk bereikt had, zat hij plotseling terug op de voorzittersstoel en moest hij de weg helemaal opnieuw afleggen.

woensdag 16 juni (dag 3)

1

Ceulemans was moe, doodmoe, maar toch had hij nog geen oog
dichtgedaan. Hij wroette en woelde in de warme lakens, in de hoop de
juiste positie te vinden om de realiteit te vergeten, maar tevergeefs.
Op professioneel vlak vertrouwde Ceulemans op zijn instinct, nog
nooit had het hem in de steek gelaten. Tot nu. Het gevoel dat er Lisa
iets ergs was overkomen, was zó overweldigend dat het hem niet wilde
loslaten, ook al had hij geen enkele reden om de informatie van de Cel
Vermiste Personen in twijfel te trekken.
Ceulemans draaide zich voor de zoveelste keer om en kreeg een harde
por van zijn vrouw tussen de ribben.
'Ga je nu eindelijk eens stil blijven liggen?' beet ze hem toe.
'Ik kan niet slapen, ik moet steeds denken aan…'
'Het kan mij geen barst schelen wat er door je hoofd spookt, Dennis!
In bed moet je slapen, niet werken!'
Marie-Rose kon nogal bits reageren als ze moe was, nou ja, op andere
momenten eigenlijk ook.
Ceulemans gleed uit bed en maakte aanstalten om in de keuken iets te
eten te halen toen zijn gsm ging. Zijn vrouw slaakte een diepe zucht.
'Ceulemans.'
'Sorry dat ik je weer zo laat stoor, hoofdinspecteur.' Het was de stem
van agent Sanders. 'Maar hier zit een man die zegt dat hij Lisa heeft
gezien.'
'Wanneer heeft hij haar gezien?'
'Maandagavond. Toen ze "De Kastelein" verliet.'
'Ik kom eraan.'
'Euh… hoofdinspecteur… ik moet er wel aan toevoegen dat de man
die hier zit, een landloper is. Ik weet niet of hij wel goed bij zijn hoofd
is. Hij zegt dat hij Lisa heeft zien verdwijnen.'
'Verdwijnen?'
'Ik wilde je eigenlijk niet storen, maar je had gezegd dat ik je moest
verwittigen zodra ik ook maar iets over Lisa vernam.'
'Daar heb je goed aan gedaan, Sanders.'
'Euh… ik zou normaal vannacht maar een halve shift werken…'

'Ja?'
'Maar ik vermoed dat je liever hebt dat ik hier blijf?'
'Dat heb je goed geraden, Sanders!'

2

Ayla lag in haar bedje te brullen alsof haar zachte babyhuid met scheermesjes werd bewerkt. Aarons naakte lichaam omklemde dat van Kathleen koortsachtig terwijl de donder onophoudelijk de wereld deed daveren. Kathleen zelf voelde nog steeds de angst door zich heen jagen als ze dacht aan de brug die ze had willen oversteken. Daardoor kon ze zich heel goed inbeelden wat haar echtgenoot doormaakte.

Kathleen was uitgeput. Niet alleen omdat ze niet kon rusten of slapen door het aanhoudende gekrijs van hun baby, maar ook omdat ze aanvoelde dat er iets helemaal mis was. Het was niet normaal dat Aaron bang was van onweer en dat zij geen brug durfde oversteken, en dat hun angsten bovendien tegelijk de kop opstaken. Het kon geen toeval zijn. Het was alsof iemand een vloek over hen had uitgesproken.

Hoewel Kathleen met elke vezel van haar lichaam aanvoelde dat er iets niet in orde was, probeerden haar hersenen de situatie te rationaliseren. Misschien waren zij en Aaron gewoon oververmoeid. Misschien hadden ze te kampen met stress omdat er zoveel tijd en energie in de renovatie van hun aangekochte huis kroop. Het was een niet te onderschatten taak om twee voltijdse banen te combineren met het verzorgen van een baby en het verbouwen van een huis. Misschien vertaalde hun vermoeidheid zich in angst voor bruggen en onweer. Maar dat verklaarde het onafgebroken gehuil van hun baby nog niet.

Als Kathleen heel eerlijk was tegen zichzelf moest ze toegeven dat de stress helemaal niets verklaarde. Misschien was het best gewoon te negeren wat er aan de hand was en te hopen dat het zo vlug mogelijk zou voorbijgaan. De vraag was alleen of er ooit een einde aan zou komen.

3

Van zodra Ceulemans de dronken zwerver in de receptiehal op één van de kleine stoeltjes zag zitten, besefte hij dat hij hier alleen maar tijd zou verspillen. De kans dat de schooier iets zinnigs te vertellen had, was even groot als de kans dat hij de relativiteitstheorie van Einstein kon uitleggen.

De lange, grijze baard van de zwerver was bezaaid met bedorven etensresten. De honderden adertjes in zijn wangen stonden op springen van de overtollige drank. In zijn hoed zaten meer gaten dan in een doorsnee Hollandse kaas en zijn sjofele kleren stonden stijf van de modder. Zijn zurige lijfgeur walmde als een aura om hem heen en was nauwelijks te harden.

Ceulemans liep de zwerver voorbij zonder hem te groeten, stapte het politiebureau binnen en hing zijn doorweekte politiejack aan de kapstok.

Agent Sanders keek Ceulemans veelbetekenend aan. 'Zeg niet dat ik je niet gewaarschuwd heb.'

De hoofdinspecteur ging er niet op in. 'Heb je hem al een kopje koffie aangeboden? Hoe nuchterder we hem krijgen hoe beter.'

'Ik denk dat je die met een hele koffiepot nog niet nuchter krijgt', lachte Sanders. 'Trouwens, ik heb hem koffie aangeboden maar hij lust het niet. Alleen de bijhorende koekjes.'

Ceulemans was allesbehalve in de stemming voor grapjes. 'Wat weet je over hem?'

'Niets. Hij draagt geen identiteitsbewijs bij zich, hij weet zijn naam niet en ik heb hem hier in de buurt nog nooit gezien. Hij zegt dat hij van Brussel naar hier is gekomen omdat hij het beu was in de stad.'

Ceulemans zuchtte. 'Roep hem maar binnen. Nu ik hier ben, kan ik net zo goed horen wat hij te vertellen heeft.'

De zwerver had veel mee te delen. Hij legde alles verrassend duidelijk uit, maar het klonk zó krankzinnig dat Ceulemans het zelfs niet zou geloofd hebben mocht de koning het hem verteld hebben.

'Dus, wat u ons zegt', vatte Ceulemans samen, 'is dat u Lisa uit het café hebt zien komen en dat een blauwe nevel haar heeft opgeslokt.'

'Nachtblauw, de nevel was nachtblauw', verbeterde de zwerver hem. 'De nevel dook op uit het niets en verdween samen met het meisje van de aardbol.'

'Weet u hoe ongeloofwaardig dit klinkt?'

De zwerver knikte heftig met het hoofd. 'Ik zou het zelf niet geloven als ik het niet had gezien.'

'En toch komt u het ons vertellen? Waarom denkt u dat wij het zouden geloven?'

De zwerver grijnsde. 'O, maar dat verwacht ik niet. In het begin heb ik erover gezwegen omdat ik besefte dat niemand me zou geloven. Maar met dit geheim kan ik niet langer blijven rondlopen. Ik moet niet hebben van jullie, schoffies, maar dit moesten jullie weten.'

Een donderslag deed de lucht kraken.

De schooier stak zijn wijsvinger de hoogte in. 'Het komt ons halen.'

'Wat?' vroeg Sanders, die ook zijn geduld aan het verliezen was en zo snel mogelijk in bed tegen het gladde, naakte lichaam van zijn vriendin wilde aankruipen.

'Dat heb ik toch net gezegd!' antwoordde de zwerver driftig. 'Het nachtblauw! Het komt ons allemaal halen.'

'Goed,' zei Ceulemans sussend. 'Wij weten genoeg. U mag gaan.'

'Binnenkort zullen jullie mij geloven!' brulde de zwerver terwijl hij zich oprichtte. 'Iedereen zal mij geloven! Ik zal worden beschouwd als de profeet!'

Ceulemans verwachtte een hoongelach na deze woorden, maar de zwerver liep stilzwijgend de deur uit.

'Die heeft ze niet alle vijf op een rijtje', wierp Sanders op. 'Die heeft er niet eens twee meer op een rijtje.'

Ceulemans probeerde te glimlachen, maar daarvoor was hij veel te moe.

4

Zoals elke ochtend keek Arthur vanuit zijn kamer naar het park, maar vandaag om een heel andere reden dan alle andere dagen. Vandaag genoot hij niet met volle teugen van het prachtige uitzicht. Het gras, de bomen en zelfs de veelkleurige bloemen van de sierlijke dahlia's konden hem niet tot rust brengen. Zijn blik flitste nerveus van de ene naar de andere uithoek van het park, speurend naar zijn vrouw. Sinds de inkerving in de boom had ze hem geen teken meer gegeven, maar hij voelde intuïtief aan dat ze hier nog rondzwierf.

Arthur keek verschrikt op toen er driemaal op de deur werd geklopt, alsof de geest van zijn vrouw de moeite zou nemen om op de deur te bonken voor ze hem een bezoek bracht.

Verpleger Kurt fladderde de kamer binnen als een ballerina. Hij liet er geen enkele twijfel over bestaan dat hij homo was. Met elke beweging, elk woord, elke oogopslag schreeuwde hij: *'Kijk, ik ben homo'.* Hij was er fier op dat hij niet zoals de meeste mensen *gewoon* hetero was.

'Heeft het ontbijtje gesmaakt?' vroeg Kurt op een nichterig toontje. Hij nam het oortje van het lege kopje koffie fijntjes tussen duim en wijsvinger en zette het op een dienblad, terwijl zijn drie andere vingers op vrouwelijke wijze de hoogte in gingen.

Arthur had niets tegen homo's, maar hij vroeg zich wel af waarom Kurt zo te koop liep met zijn geaardheid. Dit kon onmogelijk de natuurlijke wijze zijn waarop de verpleger zich voortbewoog. Kurt leek op een derderangsacteur die in een toneelstuk in een bouwvallig parochiezaaltje de rol van homoseksueel moest spelen.

'Het was heel lekker', zei Arthur naar waarheid. 'Vooral dat zachtgekookte eitje was voortreffelijk.'

Kurt knipoogde naar Arthur. '3 minuten 28. Precies zoals je het graag hebt. Ik ben speciaal in de keuken gebleven om na te gaan of ze het wel goed deden.'

Arthur glimlachte. Kurt mocht dan ietwat excentriek zijn, hij was zonder twijfel de beste en vriendelijkste verpleger in het bejaardentehuis. Hij vertroetelde alle oudjes zonder neerbuigend te doen en had respect voor hen omdat ze zoveel levenservaring hadden. Bovendien was hij nooit te beroerd om naar hun ellenlange verhalen over vroeger te luisteren. Kurt was de tegenpool van Daisy, een hatelijke verpleegster die enkel leefde om de oudjes het leven zuur te maken.

Kurt stond met het dienblad in de hand, klaar om de kamer te verlaten.
'Kan ik nog iets voor je doen?'
'Zou je me naar het park kunnen voeren?'
Kurt keek door het raam naar het donkere wolkendek en rilde op een haast komische manier, waarbij zijn schouders de hoogte in gingen. ''t Is wel heel frisjes buiten, hoor. Helemaal niet de temperatuur die we de laatste dagen gewend zijn.'
'Ik trek mijn warme wollen sweater wel aan.'
Kurt ging weifelend met zijn wijsvinger over zijn lippen. 'Goed dan, maar niet langer dan een kwartiertje.'
Nadat Kurt de kamer uit was, reed Arthur met zijn rolstoel naar zijn kleerkast en opende de dubbele deur. De sweater lag net een plankje te hoog om erbij te kunnen. Tegen beter weten in zette Arthur eerst zijn rechter- en dan zijn linkervoet op de grond om zich vervolgens op te richten. De laatste keer dat hij dat had geprobeerd, was hij onherroepelijk tegen de vlakte gegaan. Zijn benen waren veel te zwak om zijn lichaam te ondersteunen.
Als bij wonder viel hij deze keer niet. Wankelend bleef hij staan. Hij griste het kledingstuk van de plank en liet zich terug in zijn rolstoel zakken.
Na een dergelijke inspanning sloeg zijn hart meestal als een wild paard op hol, maar nu voelde hij zich heel goed. Het was een opluchting dat er tussen al die dagen dat hij zich barslecht voelde, af en toe ook eens een betere dag zat, een dag waarop je lichaam sterk genoeg was om enkele simpele dingen aan te kunnen. Arthur bedacht dat het eigenlijk heel triest was om verheugd te zijn over het feit dat je erin geslaagd bent een sweater uit een kleerkast te halen. En zijn conditie zou er niet beter op worden. De dood was de enige uitweg.
Toen Kurt terugkwam, zat Arthur al klaar in zijn rolstoel om te vertrekken. De warme wollen sweater omsloot zijn oude lichaam.
'Je hebt vandaag precies echt wel zin om naar het park te gaan', stelde Kurt vast. De verpleger bracht Arthur met de lift naar beneden en reed hem een paar meters het park in. 'Heb je graag dat ik je gezelschap houd?'
'Ga maar voor de oudjes zorgen', sprak Arthur op een toon alsof hij

zichzelf niet bij die categorie rekende.

'Over een kwartiertje kom ik je halen.'

'Goed.'

Toen Kurt net weg was, kreeg Arthur er spijt van dat hij niet had gevraagd om hem naar de oude eik te rijden. Dan had hij kunnen nagaan of de initialen wel degelijk in de stam waren gekerfd. Arthur blikte om zich heen, maar er liep geen andere verpleger rond om hem naar de boom te duwen. Hij stond moederziel alleen in het park. Tja, welke andere bejaarde zou het in zijn hoofd halen om met dit koude weer hier te komen zitten?

Na vijf minuten werd het verlangen om naar de oude eik te gaan kijken zó hevig dat Arthur erover begon te denken om er op eigen kracht naartoe te rollen. Een lachwekkend idee. De laatste maanden was tien meter de maximum afstand die hij met zijn rolstoel kon overbruggen. Meestal moest hij zich zelfs al tevreden stellen met een metertje of vijf. Zijn kleindochter had hem gevraagd of hij geen elektrische rolstoel wilde, maar daar was hij niet op ingegaan. In een dergelijk klereding zou hij zich nóg ouder voelen.

De bejaarde eik stond helemaal aan de andere kant van het park, een vijftigtal meter van de plaats waar Arthur zich nu bevond. Een onmogelijke opdracht dus. Toch wilde Arthur heel graag weten of de inkerving echt was. Voor hij het goed en wel besefte, legden zijn handen zich bovenop de wielen en draaiden eraan.

De eerste tien meters vorderde hij verbazingwekkend snel. Arthur vreesde dat zijn adem al snel zou worden afgesneden of dat er een kramp in zijn armspieren zou schieten, maar hij bleef voortrollen en voor hij het wist, had hij zo'n dertig meter achter de rug. Een klein mirakel. Af en toe had hij weleens een goede dag, maar zo goed als vandaag had zijn lichaam in tijden niet meer gefunctioneerd.

De laatste twintig meter werd zijn ademhaling zwaarder en sneller, maar zijn armen hielden het vol tot het einde.

Een glimlach bloeide open op zijn smalle, gekloven lippen toen hij de oude eik bereikte. Zijn glimlach verzwakte toen hij de bast inspecteerde. De initialen waren nergens meer te bespeuren. Het was zinsbegoocheling geweest. Waanbeelden van een oude, dwaze vent.

Gisterenochtend had hij niet kunnen geloven dat de inkerving echt was, maar nu wilde hij niet aanvaarden dat hij het zich had ingebeeld. Hij reed zijn rolstoel tot tegen de stam en plaatste zijn voeten in het gras. Met de laatste kracht die nog in zijn oude lijf zat, duwde hij zich recht, steunend tegen de stam. Zijn rimpelige handen schuurden over de ruwe schors, tastend naar een inkerving die hij over het hoofd zou hebben gezien, maar er was geen inkeping, wel enkele willekeurige groeven, maar die waren niet door mensenhanden aangebracht.

Arthur wilde zich moedeloos in zijn rolstoel laten zakken, maar hij klampte opnieuw de boomstam vast toen de zon even tussen het dikke wolkendek kwam piepen en haar licht op een blinkend voorwerp in het gras wierp. Het object was goudkleurig. Arthur zag niet meteen wat het was, maar wilde dat wel achterhalen. De gewrichten van Arthurs knieën kraakten en pijn knaagde aan zijn onderrug toen hij zich bukte om het op te pakken.

Arthur overschatte zijn krachten. Zijn benen konden niet langer zijn loodzware lichaam dragen. Arthur duikelde voorover in het gras, maar bezeerde zich niet. Zijn overbelaste spieren werden wel gekweld door pijnscheuten, maar dat was hij onderhand gewend.

Het blinkende, goudkleurige object dat Arthurs aandacht had getrokken, lag een halve meter bij hem vandaan. Ondanks de benarde positie voelde hij een overweldigende aandrang om het vast te nemen. Hij strekte zijn arm en omsloot het voorwerp met zijn vingers. Het cirkelvormige object voelde ijskoud aan. Hij bracht zijn hand tot bij zijn ogen en bekeek het voorwerp. Hij wist onmiddellijk wat het was. Tranen welden op achter zijn ogen, rolden van zijn wangen en drupten in het gras.

Zijn vingers omsloten de trouwring die hij Louisa had geschonken als teken van zijn eeuwige toewijding.

5

Rita lag al de hele dag in bed. Niet omdat de dokter dat had opgedragen, maar omdat ze haar gedachten moest ordenen. Er was de vorige dagen te veel gebeurd om er zomaar aan voorbij te gaan. Maar hoe Rita ook peinsde, ze wist niet wat er aan de hand was.

Het zachte geklop op de deur haalde haar uit haar gedachten.

'Binnen.'

Dokter Merens kwam binnen, zijn dokterstas in de hand, en keek zuster Rita goedkeurend aan. 'U hebt mijn raad opgevolgd, zie ik.'

'Als het aan mij lag, had ik vandaag al les gegeven, maar zuster Mariann is altijd zo bezorgd.'

'Nou, ze heeft groot gelijk. Er gaat niets boven een gezonde dosis rust.' De dokter schraapte zijn keel. 'Gecondoleerd met het verlies van Bernadette', sprak hij zachtjes.

'Dank u, dokter. Weet u, soms is het zelfs voor mij een raadsel waarom God ons zo laat lijden.'

Dokter Merens antwoordde daar niet op. Grapjes maken over God was geen probleem, maar eens het serieuzer werd, klapte hij dicht. Zuster Rita begreep maar al te goed waarom. Merens was een atheïst. Al zou Moeder Maria in hoogsteigen persoon aan hem verschijnen, hij zou nog denken dat hij het zich had ingebeeld. Maar zuster Rita had geen moeite met niet-gelovigen of andersgelovigen, ze had enkel moeite met mensen die elkaar kwaad deden. Iemand die zijn naaste beminde zoals zichzelf, was een goed mens, hoe ongelovig hij ook mocht zijn.

De andere zusters waren allemaal patiënten van de gelovige dokter Van Gierde, maar Rita kon het nu eenmaal beter vinden met Merens en dat sommige anderen haar omwille van haar keuze bekritiseerden, kon haar niet schelen.

Dokter Merens haalde de bloeddrukmeter uit zijn dokterstas en wikkelde die rond haar arm.

'En hoe voelen we ons vandaag?' vroeg hij terwijl hij de bloeddrukmeter oppompte.

'Heel goed', antwoordde zuster Rita naar waarheid.

'Geen last meer van draaierigheid of misselijkheid?'

Zuster Rita schudde het hoofd. 'Ik voel me opperbest.'

'Tien over zes. Nou, dat is al iets beter. Blijf uw medicijn nog even innemen en hou het vooral rustig.'

'Ik zal proberen, dokter.'

'Gewoon in bed blijven lijkt me niet zo moeilijk', lachte hij, waarna hij in een vriendschappelijk gebaar zijn hand op haar arm legde.

Zuster Rita wist niet of het door de korte aanraking kwam, maar plotseling viel de duisternis haar aan. Een dreigende, pekzwarte donkerte drong langs de ramen en de kieren van de deur naar binnen en omsloot haar. Op een paar seconden was het aardedonker. Rita wreef in haar ogen in de hoop weer iets te kunnen zien, maar de duisternis week niet. Ze hoorde de dokter zijn tas dichtklappen en voelde haar bed omhoogveren, waardoor ze wist dat hij opstond. Werd hij dan niet overrompeld door het duister?

Net zoal in de klas overvielen de visioenen haar, als stormrammen beukten ze tegen haar brein. Tientallen beelden wisselden elkaar in razend tempo af en gaven zóveel input dat haar hersenen al de informatie niet konden verwerken en op ontploffen stonden. De beelden eindigden in een helwitte flits, waarna ze haar kamer en de dokter weer perfect kon zien, alsof er niets was gebeurd.

Dokter Merens boog over haar bed en keek haar met gefronste wenkbrauwen aan. 'Gaat het wel met u?'

'Ja, ja, dokter', loog Rita. Ze probeerde zich voor de geest te halen welke indrukken tot haar waren gekomen, maar ze wist het niet meer. De witte flits had de projecties uit haar hoofd gewist.

'Goed dan. Morgen kom ik opnieuw langs.'

De dokter reikte haar de hand en zuster Rita schudde die. Een elektrische vonk sloeg over van zijn hand naar die van haar en joeg door al haar lichaamsdelen. Een scherpe, flitsende pijn teisterde haar en deed elk haartje overeind veren. Het voelde aan alsof ze werd geëlektrocuteerd. De geur van haar eigen verbrande vlees drong haar neusgaten binnen. Dokter Merens voelde schijnbaar niets en leek zich alleen maar af te vragen waarom ze zolang zijn hand vasthield.

Zuster Rita wilde ze loslaten, maar kon het niet, alsof hun handen met elkaar vergroeid waren. Uiteindelijk slaagde ze er toch in zich los te wrikken.

'U hebt een sterke greep', lachte de dokter ongemakkelijk omdat hij niet goed wist welke reactie gepast was.

Dokter Merens pakte de deurklink vast en trok de deur open.

'U... u mag niet naar buiten gaan, dokter', sprak zuster Rita met een hoge stem, die zijzelf niet herkende als die van haar. Haar kleren waren plots doorweekt van haar eigen zweet dat een penetrante, zurige geur had.

Dokter Merens dacht dat hij haar niet goed had verstaan.

'Pardon?'

'Als u naar buiten gaat, zal u sterven, dokter. De duivel is hier om u te halen!'

Rita wilde dit helemaal niet zeggen, maar ze kon het niet verhelpen. De woorden waren uit haar mond voor ze er erg in had, alsof iemand haar spraakvermogen controleerde. Maar ze wist wel dat wat ze uitbracht, geen onzin was.

Dokter Merens reageerde niet.

'Voelt u zich wel goed?' vroeg hij uiteindelijk.

'Het gaat hier niet om mij, godverdomme!' Rita schrok hevig van zichzelf. Ze had nog nooit gevloekt en ze zou het nooit in haar hoofd halen om de naam van de Heer te bezoedelen. Nooit! En toch had ze dat zonet gedaan.

'U hebt echt rust nodig, zuster', meende de dokter. Zelfs een atheïst was blijkbaar verontwaardigd als een zuster de naam van de Heer onteerde. Van hypocrisie gesproken!

Dokter Merens stapte naar buiten zonder zuster Rita nog een blik waardig te gunnen.

'U mag niet gaan! U zult sterven! Begrijpt u dat dan niet? Dood! Dood!! Dood!!!'

De tentakels van het eindeloze zwart keerden terug en legden haar het zwijgen op.

6

Op weg naar pediater Vanhove moest Kathleen aan Aaron niet vragen om de gemeentelijke bruggen te mijden, hij zag zelf in dat dit het beste was. Het laatste wat hij wilde, was dat Kathleen een angstaanval kreeg.

Aaron parkeerde de auto langs het kanaal, een paar meter vóór de praktijk van Vanhove en liep met zijn gezin naar binnen. Ook in de wachtkamer bleef Ayla huilen.

Pediater Vanhove was een klein, gezet mannetje dat niet zou misstaan hebben als dwerg in een sprookjesfilm. Hij was wel iets groter dan een dwerg, maar door zijn gladgeschoren gezicht en vriendelijke manier van doen, zou hij zeker voor de rol gecast worden.

Hij ging achter zijn bureau zitten en gebaarde naar Kathleen en Aaron dat ze mochten plaatsnemen. Kathleen haalde haar dochtertje uit haar maxi-cosi en nam haar op de schoot.

'Nou, lieve mensen', zei de pediater hartelijk, 'ik heb van dokter Van Gierde vernomen dat Ayla de laatste dagen haast voortdurend weent.' Vanhove blikte naar Ayla. 'En zo te zien ben je nog altijd niet tevreden, hè, kleine meid.'

'Ze houdt haast niet op met huilen', verklaarde Kathleen. 'Soms slaapt ze een uurtje of twee, maar nooit meer. En het vreemde is dat ze daarvóór bijna nooit huilde.'

'Eet ze goed?'

'Tussen de huilbuien door', antwoordde Kathleen.

'We zullen je even onderzoeken, hè, kleine meid', lachte de pediater. Hij nam Ayla over van Kathleen en hield haar in zijn handen alsof het een pluchen beer was. Hij nam haar vast bij haar buikje en ondersteunde niet eens haar hoofdje.

Vanhove legde de huilende Ayla neer op een kussentje op de onderzoekstafel en onderzocht haar van kop tot teen. Af en toe stelde hij een vraag, waarop vooral Kathleen antwoordde. Omdat ze niet aanwezig had kunnen zijn bij dokter Van Gierde, wilde ze dat nu goedmaken en verschafte de pediater zoveel mogelijk informatie.

'Zo te zien is Ayla kerngezond', concludeerde de dokter na een tiental minuutjes.

'Ben je daar zeker van?' vroeg Aaron.

'Het zou me enorm verbazen mocht er iets aan de hand zijn met jullie dochtertje. Maar omdat ze blijft wenen, stel ik toch voor om enkele tests te doen.'

'Tests?'

'Ja. Maar die kan ik hier niet uitvoeren. Daarvoor moeten jullie naar mijn praktijk in het Erasmusziekenhuis in Brussel komen. Daar heb ik alle nodige apparatuur. Even kijken in mijn agenda.' Hij legde Ayla in de armen van Kathleen en beende naar zijn bureau om zijn agenda te nemen. 'Zou overmorgen passen voor jullie?'

'Zeker', zei Kathleen. 'Hoe vroeger hoe beter.'

'Ik ben alleen op vrijdag in het ziekenhuis, dus vroeger kan niet. Laat ons zeggen een uur of zes 's avonds. De rest van de dag zit volgeboekt. Ik plan jullie in als laatste.'

'Dankjewel, dokter', zei Kathleen.

In de auto kwam Ayla eindelijk een beetje tot rust en thuis viel ze zelfs in slaap. Kathleen en Aaron maakten van de situatie gebruik om ook wat slaap in te halen. Een uurtje later begon Ayla opnieuw te wenen en ze weende tot de volgende ochtend.

7

Het jammeren van remmen. Het oorverdovende schuren van metaal op metaal. De geluiden kwamen allesbehalve onverwachts voor zuster Rita. Ze begon te wenen omdat ze besefte dat dokter Merens vóór haar deur was betrokken geraakt in een ernstig auto-ongeluk. Ze herinnerde zich plots de vele projecties die ze voor haar geestesoog had zien passeren toen de dokter haar aanraakte.

Rokende banden. Een meterslang remspoor op het asfalt. De bloedrode letters I.T.F. op de zijkant van de grote vrachtwagen. De gesloten ogen van de slapende vrachtwagenchauffeur. De grijze Mercedes die in elkaar wordt gedeukt als een leeg blikje soda. De verbaasde blik van dokter Merens die achter het stuur zit. Zijn gezicht dat tegen het stuur smakt. Zijn parelwitte, gebroken tanden die op het voetmatje vallen. Het bloed dat als een fontein uit zijn neus, mond en linkeroor spuit. De verschrikte gezichtsuitdrukking van de vrachtwagenchauffeur die zijn ogen opent. Dokter Merens die zijn

ogen niet meer opent.
Sirenes van politie- en ziekenwagens. Een chaotisch geschetter was het gevolg.
Zuster Rita bleef in bed liggen. Ze had het zien aankomen, maar had het niet kunnen voorkomen. Waarom had ze zo hysterisch gedaan? Waarom had ze de dokter niet met een leugentje bij haar gehouden? Waarom had ze niet gedaan alsof ze plots onwel werd? Waarom had ze hem niet gered?
Zuster Rita vroeg zich af of de visioenen een gave waren die God haar had geschonken of een vergiftigd geschenk van de duivel.

8

Arthur lag ruggelings in zijn bed en staarde naar de trouwring die hij eerbiedig tussen duim- en wijsvinger hield. In die positie lag hij al een aantal uur. Hij kon zijn blik niet van het kleinood afwenden.
Louisa & Arthur - 5 mei 1948 stond in de binnenkant van de trouwring gegraveerd. Daardoor wist hij absoluut zeker dat het de ring van zijn overleden vrouw was. Maar hoe was die in het park terechtgekomen?
Zijn gedachten maalden en probeerden logische verklaringen te vinden, maar die waren even ongrijpbaar als de ingekerfde initialen in de schors van de oude eik.
Louisa had de ring altijd om haar vinger gedragen en na haar overlijden nam ze hem met zich mee naar haar rustplaats. Hoe kon Arthur haar trouwring dan nu vasthouden? Of had hij helemaal geen ring vast en was het enkel zinsbegoocheling? Was hij zijn verstand aan het verliezen? Had hij nog niet genoeg lichamelijke klachten dat hij nu ook nog af te rekenen kreeg met mentale aftakeling?
Er werd driemaal op de deur geklopt.
In een reflex stak Arthur de ring onder de deken. 'Binnen.'
Marissa beende zijn kamer binnen. 'Dag, opa. Alles goed met je?' Ze boog zich over hem en kuste hem op de wang.
Zijn kleindochter kwam hem halen om naar het Universitair Ziekenhuis

in Brussel te gaan. Daar zou hij aan tests onderworpen worden om na te gaan welke de beste therapie was om zijn kankergezwel te bestrijden. Hij was glad vergeten dat ze hem kwam oppikken.

'Waarom hebben ze je kleren nog niet aangedaan?' vroeg Marissa.

''t Is mijn fout. Ik had een verpleger moeten bellen.'

'Maar je weet toch dat we weg moeten.'

Arthur knikte. 'Sorry.'

'Ik help je wel met aankleden.'

Terwijl ze zijn mooiste pak uit de kast haalde, begon ze over wat er die ochtend was gebeurd. 'Kurt zei me dat je uit je rolstoel bent gevallen. Je weet toch dat je moet rusten, opa!'

'Dit is een rusthuis, Marissa, ik doe niets anders dan rusten. Ik voel me echt kiplekker. Ik werd gewoon iets te overmoedig. Ik... ik...'

Arthur twijfelde of hij Marissa iets over de ring zou vertellen. Als de ring een illusie was, zou zijn kleindochter zich wel heel ongerust maken over zijn toestand. Maar wat als Marissa zag dat de ring echt was?

'... ik zag iets liggen in het gras. Het was een ring. Ik heb hem opgeraapt. En daardoor viel ik uit mijn rolstoel. Kijk!' Met bonzend hart bracht Arthur zijn hand boven de deken. Hij opende zijn handpalm waarin de blinkende gouden ring lag.

De ring was echt, want Marissa legde zijn kostuum op het bed, viste de ring uit de kom van zijn hand en bekeek hem aandachtig. 'Mooi.'

'Lees eens wat erin is gegraveerd', zei Arthur.

De ogen van zijn kleindochter trokken wagenwijd open. Tranen blonken in haar ogen. 'Dat... dat is de trouwring van grootmoe.'

Elke zenuw, elke spier in Arthurs lichaam trilde. De ring was echt! Hij had het zich niet ingebeeld.

'Waarom heb je die bijgehouden?' vroeg zijn kleindochter verontwaardigd. 'Grootmoe zou die toch nooit willen afdoen!'

'Maar... maar... ik heb hem niet afgedaan. Ik zeg het je toch, ik heb hem vandaag gevonden.'

Marissa keek haar grootvader diep in de ogen, niet om na te gaan óf hij loog, maar wel wáárom hij loog.

Arthur wilde zijn kleindochter tegenspreken, maar wát als ze gelijk had? Wat als hij die ring had afgedaan voordat Louisa werd begraven? Wat als hij dit allemaal zelf onbewust had gepland om drie jaar later tegen anderen te kunnen zeggen dat de liefde van zijn leven was verrezen? Nee. Zo was het helemaal niet. Hij had deze ring vandaag gevonden! Hij had begrip voor de reactie van zijn kleindochter. Het was voor haar heel wat eenvoudiger aan te nemen dat haar opa de ring altijd bij zich had gehouden dan om te geloven dat hij hem drie jaar na het overlijden van haar grootmoeder had gevonden.

Arthur zweeg. Hij hoopte dat zijn ogen de waarheid zouden vertellen, maar dat deden ze niet, want Marissa keek hem aan met een blik die het midden hield tussen medelijden en kwaadheid.

'Kom, ik help je recht. Het is al laat.'

9

De agenda van Ceulemans zat tjokvol, waardoor de dag voorbijraasde. 's Morgens had hij een onnodig lang onderhoud met Reijnders, de informatieambtenaar van de gemeente Laarbeke, over de toelatingen betreffende occasionele bewegwijzering. In de namiddag hield hij zich vooral bezig met het opstellen van een omleiding voor de werkzaamheden aan de Kanaalbrug. 's Avonds hield hij toezicht op het marktplein tijdens de avondmarkt die de plaatselijke handelaars organiseerden. Om twintig uur werd hij daar vervangen door een collega zodat hij eindelijk naar huis kon.

Ondanks de drukte, had hij elke seconde aan de verdwijning van Lisa gedacht. Hoewel de zaak volgens de Cel Vermiste Personen was opgelost, bleef ze hem achtervolgen.

Totaal uitgeput kwam hij aan op het politiebureau en toen hij naar huis wilde gaan, kwam agent Sanders op hem af.

'Ah, hoofdinspecteur. Goed dat je nog niet naar huis bent.'

'Wat nu weer?' vroeg Ceulemans nogal kortaf.

'Er zijn hier zopas drie kinderen het bureau binnengekomen. Ze zeggen dat hun moeder verdwenen is.'

'Waar is de vader?'

'Die hebben ze niet meer. Hij is een paar jaar geleden gestorven.'

Ceulemans zuchtte diep en volgde Sanders naar het grote bureau waar de drie meisjes zaten. Met betraande ogen keken ze de hoofdinspecteur aan.

'Bel Jessy', beval Ceulemans aan Sanders. Jessy was politiepsychologe. Als geen ander was ze bedreven in slachtofferhulp. Ze had een innemende, zachtaardige persoonlijkheid. Iemand die je onmiddellijk vertrouwde.

'Kan ik jullie iets geven om te drinken?' vroeg Ceulemans omdat hij helemaal niet wist wat hij anders moest zeggen.

'Onze mama is verdwenen', zei de oudste. Ceulemans schatte haar een jaar of tien.

'Hebben jullie naar iemand van de familie gebeld?' vroeg de hoofdinspecteur.

De oudste schudde het hoofd. 'We zijn direct naar hier gekomen. We wonen maar een paar straten verder.'

'Wanneer hebben jullie je moeder voor het laatst gezien?'

Het oudste en het iets jongere meisje keken naar hun kleine zusje, dat een jaar of vier moest zijn.

'Zij heeft haar laatst gezien', zeiden de twee zussen in koor.

'Mama was in de keuken aan het afwassen. Ik mocht helpen', vertelde de jongste. 'Toen…' Tranen rolden over haar wangetjes, snot liep uit haar neusje. 'Toen… toen kwam de blauwe mist en slokte mama op.'

donderdag 17 juni (dag 4)

1

Ceulemans' gedachten gingen uit naar Hélène Vincke, de vrouw die op raadselachtige wijze thuis was verdwenen en haar drie kinderen had achtergelaten. De hoofdinspecteur reed op automatische piloot naar huis en toen hij op de oprit uit zijn auto stapte, kon hij zich niet meer herinneren dat hij de weg daadwerkelijk afgelegd had. Zijn onderbewustzijn had hem veilig door de straten geloodst zoals het dat al zo vaak had gedaan als hij over een zaak nadacht.

De hoofdinspecteur tastte in het duister over de verdwijning van Hélène en dat maakte hem nerveus en kregelig. Hij was een man van de actie. Als er iets gebeurde, ondernam hij onmiddellijk de nodige stappen. Bij een verdwijning contacteerde hij de mensen die de verdwenen persoon kenden en ging na wie die persoon laatst had gezien. Doorgaans was het een kwestie van enkele uren vooraleer de vermiste werd gevonden. Meestal waren er aanwijzingen in het gedrag van de persoon of had iemand iets gezien wat de politie op het juiste spoor bracht. In dit geval hadden ze niets. Het leek of de vrouw in rook was opgegaan, en als je de enige getuige - een meisje van vier jaar nota bene - mocht geloven, was dat ook wat er was gebeurd. Een donkerblauwe mist had haar moeder opgeslokt. Wat kon hij daar nou mee aanvangen? Hij had tastbare bewijzen nodig. Nummerplaten. Adressen. Bandensporen. Wat dan ook. Maar een blauwe mist? Dat sloeg nergens op.

Het zat Ceulemans wel dwars dat het meisje niet als eerste met een verhaal over mist kwam aandraven, er was ook het relaas van de zwerver. Toeval?

Wat kon je als politieagent beginnen met zulke verhalen? Bovendien was de zaak van Lisa opgeklaard. Niks blauwe mist, ze zat in Parijs.

Hoe hard Ceulemans zijn hersenen ook pijnigde, hij kon er geen touw aan vastknopen. Toch moest er iets heel logisch aan de hand zijn, iets dat heel eenvoudig te verklaren was. Ceulemans probeerde zich gerust te stellen met deze gedachte, maar slaagde er niet in ook maar met één voor de hand liggende theorie voor de dag te komen.

Omdat er geen enkel aanknopingspunt was, had Ceulemans even overwogen of het om zelfmoord kon gaan. Misschien had Hélène zich van het leven beroofd omdat ze het niet langer aankon alleen voor haar drie dochters te zorgen. Na een tiental gesprekken met buren, vrienden en familieleden van Hélène had de hoofdinspecteur ingezien dat de vrouw sociaal heel actief was en dat ze een gelukkige moeder was. Uiteraard wist je nooit wat er in het hoofd van iemand omging, maar de theorie over zelfmoord klonk niet echt heel overtuigend meer na de interviews.

Ceulemans had de nodige agenten opgetrommeld om de zoektocht verder te zetten, maar hijzelf was zó kapot dat hij momenteel geen toegevoegde waarde was. Zijn collega's hadden beloofd hem op te bellen van zodra ze een spoor vonden.

Ceulemans vond de kracht niet meer om zijn garage te openen en liet zijn auto een nachtje buiten slapen. Fysiek en mentaal totaal uitgeput stak hij de sleutel in het slot van de voordeur. Vermoeid leunde hij tegen de deur, slofte naar binnen en maakte zo weinig mogelijk geluid om Marie-Rose niet te wekken.

De geur van zweet walmde zijn neusgaten binnen toen hij zijn jas uittrok, maar hij had niet meer de energie om te douchen en wilde meteen onder de wol kruipen. Ceulemans trok zijn kleren uit, gooide ze achteraan op het bed en gleed onder de lakens. Hij tastte naar zijn vrouw om haar een zoen te geven, maar de lakens waren koel, onbeslapen.

Marie-Rose lag niet in bed. Er lag wel een briefje. Een wit stukje papier, haastig afgescheurd van een groot blad, beschreven met blauwe inkt. Zijn hand griste het briefje van haar hoofdkussen en zijn ogen lazen het uitdrukkingsloos.

Dennis,

Ik ben naar mijn moeder. Ik weet niet voor hoelang. Maar zo kan het niet verder.

Marie-Rose.

Zijn vrouw had al meermaals gedreigd dat ze hem zou verlaten, maar Ceulemans had nooit verwacht dat ze ook daadwerkelijk de stap zou wagen. Hij greep naar de telefoon, die op het nachttafeltje naast hun bed stond, en vormde het nummer van zijn schoonmoeder. Voor hij het laatste cijfer intoetste, haakte hij weer in. Het was beter om haar niet te bellen. Niet nu. Hij moest Marie-Rose eerst laten bekoelen. Morgenochtend kon hij haar bellen of naar haar toe gaan. Ze moesten hun problemen oplossen. Ze moesten hun huwelijk redden.

Uit machteloosheid sloeg hij met zijn vuist tegen het nachtlampje. Het kletterde op de grond en het kapje brak van de staander. Het lichtje floepte uit en het duister omsloot hem.

2

Arthur kon de slaap niet vatten. In het ziekenhuis had hij een aantal tests moeten ondergaan die zouden uitwijzen welke therapie het meest geschikt was om zijn ziekte te bestrijden, maar hij wilde helemaal geen gevecht aangaan met de kanker. Hij zou de dood met open armen verwelkomen.

'Arthur... Arthur... Arthur... kom!'

Hoewel er in de kamer geen enkel geluid weerklonk, hoorde Arthur hoe Louisa hem riep. Ze fluisterde hem toe in gedachten. Haar altstem, die het plaatselijke kerkkoor elke week naar een hoger niveau had getild, haast tot waar de engelen vlogen, zou hij altijd en overal herkennen.

Arthur klauterde moeizaam uit bed en hees zich in zijn rolstoel, een handeling die hij in weken niet meer had uitgevoerd. Niet dat hij geen pogingen had ondernomen, zeker wel, maar het had hem gewoon aan kracht ontbroken om de klus te klaren. De stem van zijn vrouw gaf hem nu wel de nodige kracht om het te doen, God ja, hij had nu zelfs voldoende energie om in zijn rolstoel deel te nemen aan een marathon.

Arthur reed zijn rolstoel tot tegen het raam en blikte naar beneden. De duisternis lag als een deken over het park. De kleine lantaarntjes langs het tuinpad wierpen hun zwakke licht op de omgeving, maar waren niet krachtig genoeg om de oude eik achteraan in het park te verlichten. Vreemd genoeg kon Arthur de eikenboom deze nacht toch zien, alsof hij door een aura werd omgeven.

Naast de boom zag hij de gestalte. Er bestond geen twijfel over. Het was zijn vrouw. Louisa was niet gehuld in een maagdelijk wit gewaad zoals je dat van een geest zou verwachten, maar droeg haar geruite, bruine rok en witte blouse die hij haar voor een verjaardag cadeau had gedaan. Haar lange, grijze haren wapperden om haar gezicht, dat vanuit zijn kamer niet meer was dan een bleke vlek. Toch voelde hij met hart en ziel dat het zijn vrouw was. Wat kwam ze doen? Wat wilde ze hem zeggen of vragen?

Louisa zwaaide naar hem. Arthur wilde terugzwaaien maar zag in dat ze hem uitnodigde om naar haar toe te komen.

Arthur aarzelde geen seconde. Hij draaide zich bliksemsnel om, reed naar de deur, opende ze en rolde de gang in. Verder dan tien meter geraakte hij niet, want Daisy versperde hem de weg. Daisy zag verpleging niet als een roeping, maar als een zware last. Waarom ze het beroep dan toch uitoefende, was Arthur een raadsel, want erg veel geld viel er niet mee te verdienen.

'Ik moet naar buiten', zei Arthur.

'Je moet naar je kamer', sprak Daisy emotieloos.

'Maar mijn vrouw is daar.'

'Je vrouw is dood', zei de verpleegster venijnig. De grijns om haar lippen verried dat ze er genoegen aan beleefde.

'Maar...'

'Nu naar je kamer!' sprak ze. Ze wachtte niet tot hij uit zichzelf in beweging kwam, maar rolde hem terug naar zijn vertrek.

'Is Kurt hier niet?'

'Kurt, Kurt, Kurt, al jullie oudjes hier moeten Kurt hebben. Die heeft geen dienst nu. Die laat zich waarschijnlijk thuis door één of andere bruinwerker langs achter pakken.'

'Ik wil nu naar buiten!' schreeuwde Arthur toen Daisy hem zijn kamer binnenrolde.

'Klep dicht! En waag het niet nog eens uit je kamer te komen of ik doe de deur op slot!' Tot zover het respect voor de oudere mens.

Arthur rolde zijn rolstoel naar het raam en keek uit over het park, maar de eikenboom was verdwenen achter een gordijn van duisternis.

Arthur staarde de hele nacht naar buiten, maar de geest van Louisa was nergens meer te bespeuren.

3

Vandaag kon Kathleen onmogelijk verlof nemen. Ze moest naar de koekjesfabrikant in Nederland om hem met haar campagne te overtuigen om voor hun reclamebureau te kiezen. Als ze het miljoenencontract niet binnenhaalde, lag haar ontslagbrief klaar.

Met pijn in het hart nam Kathleen afscheid van Ayla, die ook die hele nacht had gekrijst. Enkel wanneer ze honger had, was ze even te troosten met een flesje melk. Kathleen draaide de dop van de fles zo dicht mogelijk. Zij hoopte dat Ayla zo hard zou moeten zuigen dat ze in slaap viel. Maar dat bleek een ijdele hoop, want eens Ayla genoeg had gedronken, zette ze haar keelgat weer wagenwijd open.

Wat de dokter en de pediater ook hadden gezegd, Kathleens moederinstinct zei haar dat er iets heel erg mis was met Ayla. Ze hoopte dat de tests morgen uitsluitsel zouden geven.

Het reclamebureau waar ze werkte, was in Laarbeke gevestigd, maar Kathleen besloot om er niet meer langs te gaan en rechtstreeks naar Utrecht te rijden. Anthony zou haar toch alleen maar zenuwachtig maken, zeker nu ze geen andere slagzin had bedacht. Ze moest nu gewoon haar eigen ding doen en zich niet meer op stang laten jagen door hem.

Kathleen geeuwde. In de achteruitkijkspiegel zag ze hoe haar ogen rood en gezwollen waren. De vermoeidheid eiste haar tol.

Onderweg speelde haar gsm het polyfonisch deuntje 'Lethal Industry' van DJ Tiësto. Met haar rechterhand tastte ze in de zak van haar jas, die op de passagiersplaats lag. Ze diepte haar mobieltje eruit en zette het tegen haar oor. 'Hallo, met Kathleen.'

'Hoi, Kathleen. Met Gunther. Ik moest vragen van Anthony of je al onderweg bent.'

'Ja. Ik rijd rechtstreeks naar ginder.'

'Goed zo. Blijf hier maar weg. Hij maakt ons hier allemaal gek!'

'Was te verwachten.'

'Hij wil aan de lijn komen.'

'Zeg maar dat de verbinding uitvalt.'

'Oké. Succes!'

'Bedankt. Dááág.'

Kathleen belandde op de hoofdweg die naar de autosnelweg leidde. Om op de snelweg te geraken, zou ze verplicht zijn om eerst over de brug te rijden die de hoofdbaan overspande. Kathleen besefte maar al te goed dat dit voor problemen zou kunnen zorgen. Ze had elke gedachte aan de brug proberen te vermijden, maar hoe dichter ze het gevaarte naderde, hoe meer het door haar hoofd spookte.

Ze trachtte te achterhalen waar ze nu juist zo bang voor was. Om van de brug te vallen? Dat de brug zou instorten? Ze had er geen idee van. Ze vond het stom van zichzelf dat ze bang was voor een brug, maar ze kon het niet verhelpen.

Kathleen bracht de auto voor de rode stoplichten tot stilstand en zette haar richtingaanwijzer op. Nog honderd meter tot de brug.

Het verkeerslicht sprong op groen en Kathleen liet zich meevoeren met de stroom auto's. De brug lag nu op vijftig meter afstand. Tientallen auto's reden er zonder enig probleem over. Waarom zou zij het dan niet kunnen?

Ze omklemde haar stuur met beide handen. Het zweet stond in haar handpalmen. Kathleen draaide de airco omlaag tot achttien graden. De lucht die in haar gezicht blies, voelde ijskoud aan.

Nog vijf meter.

Haar hart ramde nu tegen haar borstkas. Kathleen hapte naar adem, maar ze had een acuut gebrek aan zuurstof. Haar handen en armen trilden alsof ze kogels uit een machinegeweer afvuurde. De schokkende bewegingen zetten zich over naar heel haar lichaam en het leek wel of ze een aanval van epilepsie kreeg.

Haar rechtervoet kwam los van het gaspedaal en drukte bruusk op de rem. De auto kwam piepend en krijsend tot stilstand. Het was een wonder dat de automobilisten achter haar op tijd konden stoppen. Een kakofonie van door elkaar toeterende claxons weerklonk, maar het was haar onmogelijk om de brug over te steken. De parkeerstrook was geen optie want die stond vol met auto's.

In een opwelling duwde Kathleen het gaspedaal in en draaide zo hard ze kon aan het stuur. Zonder na te gaan of er auto's van de brug kwamen gereden, maakte ze een scherpe U-bocht en reed het andere rijvak op. Een rode bestelwagen, die van de brug kwam gereden, kon haar maar net ontwijken. De bestuurder van het voertuig was zó verrast dat hij niet eens een kwaad gebaar maakte of claxonneerde.

Kathleen geraakte heelhuids op de andere rijbaan en reed weg van de brug. Een honderdtal meter verder parkeerde ze haar wagen op een parkeerstrook. Haar vingers wrikten het portier open en ze kotste. Ze sloeg het portier weer dicht en leunde achterover in de autozetel.

Haar ogen blikten rechts door het zijraampje waar ze aan de horizon een vreemde, donkerblauwe waas bespeurde. Een soort mist, alleen was hij niet grijskleurig. Ze vroeg zich af waar de nevel vandaan kwam. Dat was meteen haar laatste gedachte, want nog geen seconde later viel ze in slaap.

4

Toen burgemeester Marinus om acht uur ontwaakte, deed hij een vreemde vaststelling: het was donderdag. Dat vernam hij toen Geert van Acker, dj van de lokale radio 'Radio Rondom', meedeelde dat het donderdag 17 juni was.

Marinus kon zich niet voorstellen dat hij 36 uur tussen de lakens had doorgebracht. Meestal had hij genoeg aan acht uur slaap.

Dinsdagavond na de vreemde gebeurtenissen op de gemeenteraad was hij meteen in bed gekropen omdat hij zich uiterst vermoeid had gevoeld, maar zeker niet zó uitgeput dat hij 36 uur aan een stuk door zou kunnen slapen.

Ruggelings staarde hij naar het plafond. De stem van de nieuwslezer drong nauwelijks nog tot hem door. De dingen die hem de laatste dagen overkomen waren, kolkten door zijn gedachten. Hoe langer hij zijn hersenen pijnigde hoe meer hij ervan overtuigd raakte dat hij geen 36 uur had geslapen. In normale omstandigheden was dat de meest voor de hand liggende verklaring geweest. Maar dit waren geen normale omstandigheden. De tijd leek niet langer een chronologisch concept. De tijd bood geen houvast meer, maar maakte onverwachts sprongen voorwaarts. Als hij deze vaststelling verder doortrok, kon dit betekenen dat woensdag aan hem was voorbijgegaan. Hoe was dit mogelijk? Wat was er verdomme gaande?

Marinus sloot zijn ogen toen hij besefte dat hij de meest logische verklaring negeerde: hij leed aan een ziekte. De burgemeester was blij dat de deurbel ging zodat hij over die mogelijkheid niet verder hoefde na te denken. Hij wipte uit bed, sprong in zijn kleren, draafde de trappen af en opende de deur. In het deurgat stond Theo. Marinus was nog nooit zo blij geweest dat hij zijn zoon zag, zelfs niet bij zijn geboorte. 'Theo!' riep hij uit.

Marinus omhelsde zijn zoon en liet hem binnen. Theo was verrast door de hartelijke ontvangst en stapte ongemakkelijk over de drempel. 'Je ziet er al heel wat beter uit dan gisteren, paps.'

'Gisteren?' vroeg Marinus. Was er dan toch een gisteren geweest? Met de beste wil van de wereld kon hij zich niet voor de geest halen wat er was gebeurd.

Theo keek zijn vader bevreemd aan.

Marinus glimlachte ongemakkelijk naar zijn zoon. 'Je moet me excuseren, jongen, maar om heel eerlijk te zijn, ik kan me niet zo goed meer herinneren wat er gisteren is gebeurd.'

'Zo ziek was je toch ook niet?'

Marinus haalde zijn schouders op.

Zijn zoon staarde hem met gefronste wenkbrauwen aan. 'Wat kan je je dan wel nog herinneren?'

'Nou, tja, euh… niets eigenlijk.'

Theo werd nu duidelijk ongerust. 'Ik bel de dokter, paps.'

'Niet nodig', sprak Marinus vlug. 'Ik voel me uitstekend nu.'

Zijn zoon twijfelde of hij naar zijn vader moest luisteren of toch maar gewoon de dokter bellen.

'Welke klachten had ik gisteren eigenlijk?' vroeg Marinus.

'Je was grieperig. Je hebt de hele dag in de zetel gelegen.'

Marinus probeerde het zich te herinneren, maar niet één seconde van gisteren kwam hem terug voor de geest. 'Ach, het belangrijkste is dat ik me nu weer goed voel, nietwaar?'

'Nou, ik weet niet, ik denk toch dat je beter de dokter kan laten langskomen.'

'Dokter Merens is veel te zorgzaam. Die geeft me waarschijnlijk een week rust, maar ik heb veel te veel werk op het gemeentehuis.' Eigenlijk was Marinus bang dat de dokter een heel ongunstige diagnose zou stellen, maar daar repte hij met geen woord over.

Theo keek zijn vader verward aan.

'Wat is er?' vroeg Marinus.

'Je herinnert je echt niets meer van gisteren, hè?' vroeg Theo, alsof hij nu pas doorhad dat zijn vader zich niet aanstelde.

Marinus schudde zijn hoofd. 'Waarom misschien?'

'Ik heb je gisteren verteld dat dokter Merens een zwaar auto-ongeluk heeft gehad. Een vrachtwagen is frontaal op hem ingereden. De dokter ligt in het UZ in Brussel. Zijn toestand is kritiek.'

Marinus plofte neer in de zetel. 'Jezus.'

De telefoon rinkelde. Marinus steunde met zijn elleboog op de leuning van de zetel en nam op. 'Hallo, met de burgemeester.' Zijn stem beefde nog na van het verschrikkelijke nieuws.

'Goeiemorgen, burgemeester, met de korpschef. Sorry dat ik u stoor nu u zich niet goed voelt, maar ik wilde toch even melden dat mevrouw Vincke gisterenavond is verdwenen.'

'Hélène Vincke?'

'Inderdaad.'

'Wie heeft haar het laatste gezien?'

'Haar jongste dochter.'

'En?'

'Voorlopig ontbreekt elk spoor.'

'Hou me op de hoogte, korpschef.' Marinus haakte in. Wat was dat toch allemaal? Eerst die affaire met Lisa, die plots verdween maar dan toch bleek weggelopen te zijn en nu de verdwijning van Hélène. Hij hoopte dat de politie haar vlug zou vinden, want dit was geen goede reclame voor zijn gemeente en voor het politiekorps.

Marinus richtte zich tot zijn zoon, die op de bank was gaan zitten, zijn handen op zijn ogen gedrukt.

'Is er iets?' vroeg Marinus.

'Even draaierig. Misschien heb je me wel ziek gemaakt.'

'Gaat het wel?'

'Ja, ja, geen probleem', zei Theo. Maar toen zijn zoon hem aanstaarde, merkte Marinus dat de anders groenbruine ogen van Theo nu donkerblauw waren. Diepblauw als de lucht op een late zomeravond. Marinus week geschrokken achteruit, maar toen hij opnieuw in de ogen van zijn zoon blikte, hadden de irissen hun groenbruine kleur weer aangenomen.

5

Arthur rolde zijn rolstoel zelf door het park. Marissa en haar zesjarig dochtertje liepen allebei aan één kant.

'Ik ben blij dat het zo goed met je gaat', zei Marissa. Haar wankele stem gaf aan dat ze bang was voor de testresultaten die 's namiddags door dokter Van Gierde zouden worden meegedeeld.

Arthur deed alsof hij de ondertoon niet hoorde. 'Ja, ik voel me minstens twintig jaar jonger', grijnsde hij.

Hij voelde zich kiplekker, maar hij wist zelf ook wel wat er gezegd werd van zieke mensen die zich plots veel beter voelden. Ze hadden een opflakkering, net voor ze in de armen van de dood liepen.

Hoewel Arthurs gezondheid leek te verbeteren, voelde hij de tentakels van de dood die zich naar hem uitstrekten. Ze waren nog nooit zó dichtbij geweest als de voorbije dagen, maar ze hadden ook nog nooit zó zacht en heilzaam aangevoeld. Dit had alles te maken met Louisa. Hij vermoedde dat zij naar hem was gestuurd om hem te komen halen zodat ze binnenkort samen naar de eeuwige jachtvelden konden vertrekken.

Arthur mocht dan op de afgrond van de vallei van de dood staan, nu hij zich even beter voelde wilde hij de laatste kracht in zijn lichaam aanwenden. Daarom reed hij zelf met zijn rolstoel en daarom was hij deze ochtend zelf uit zijn bed geklauterd. Die kleine vrijheden waren het enige wat hij nog had in de laatste ogenblikken van zijn bestaan op aarde.

Zijn kleindochter en achterkleindochter hielden hem een halfuurtje gezelschap, waarna ze naar huis keerden. Op zijn vraag lieten ze hem in het park zitten, waar hij deze warme ochtend ten volle genoot van de bloemen en planten die hem omringden.

Toen Marissa de hoek van het rusthuis omsloeg, kwam Ankie terug naar hem gehold.

'Ik kom je nog een kusje geven, poepa.' Het was een naam die ze hem al van in het begin had gegeven. Na mama en papa was het haar derde woordje dat ze kon uitbrengen.

'Dat is lief van je, schatje.'

Ankie drukte een vlezig, nat kusje op zijn wang, waarna ze iets zei dat een rilling over zijn ruggengraat liet lopen. 'Ik heb moema gezien in mijn droom', fluisterde ze alsof niemand anders dat mocht weten. 'Ik moest je zeggen dat ze op je wacht.'

Voor Arthur zijn achterkleindochter iets kon vragen, trippelde ze haar moeder achterna.

Arthur bleef nadenkend in zijn rolstoel zitten. Ankie was pas drie geweest toen Louisa stierf. Ze kende haar gezicht alleen van foto's. Arthur was er haast van overtuigd dat Ankie niet had gedroomd en dat haar moema haar 's nachts echt had opgezocht. Die gedachte verwarmde hem en deed hem glimlachen. De glimlach bleef hangen op zijn lippen toen hij haar plotseling zag staan. Naast de oude eik. Ze was gehuld in het roze slaapkleed dat ze de laatste jaren van haar leven dikwijls had gedragen. Zijn overleden vrouw glimlachte terug, waarna ze zich omdraaide en van hem wegliep. Arthur reed haar achterna in zijn rolstoel. Hij wilde haar in zijn armen nemen en zeggen hoeveel hij van haar hield. Toen hij merkte dat hij terrein verloor, richtte hij zich op uit zijn rolstoel en strompelde haar achterna. Het was een mirakel dat hij enkele meters kon lopen, maar al vlug moest hij steun zoeken tegen een boomstam.

Louisa was al een heel eind gevorderd, maar Arthur was niet van plan om het zo gemakkelijk op te geven. Hij zag hoe ze als een geest door de draad van de omheining gleed, de aanpalende wei in, waar blauwe mistsluiers tussen de bomen hingen. Louisa liep de donkerblauwe nevel in en werd opgeslokt door het mistgordijn.

Arthur zette zijn rechtervoet op de draad en vervolgens zijn linker-, maar de vermoeidheid speelde hem parten en voor hij nog hoger de draad kon opklimmen, viel hij achterover in het gras en bleef doodstil liggen.

6

In de functie van burgemeester kon je je niet veroorloven om ziek te zijn. Een hele gemeenschap rekende op je. Dringende vragen van ambtenaren en inwoners moesten efficiënt en zo snel mogelijk worden beantwoord en belangrijke politieke beslissingen betreffende personeel, infrastructuur, financiën, festiviteiten, milieu, politie, welzijn, ontwikkelingssamenwerking en vele andere beleidsdomeinen moesten worden genomen.

Hoewel de burgemeester ondersteuning kreeg van de gemeentesecretaris wat personeelszaken betrof en van het college wat de politiek aanging, was het uiteindelijk zijn kop die zou rollen als er iets fout ging. Marinus besloot dan ook om te gaan werken. Waarom zou hij dat trouwens niet doen? Hij was niet verkouden, grieperig of misselijk. Eigenlijk voelde hij zich opperbest. Er was alleen iets mis met het verloop van de tijd, of hij had tenminste het gevoel dat de tijd als fijn zand tussen zijn vingers doorglipte, alsof zijn wetten niet meer op hem van toepassing waren.

Het was niet alleen de tijdscontinuïteit die hem zorgen baarde, hij moest ook steeds terugdenken aan zijn zoon. Waarom had die hem plots aangekeken met van die koele, donkerblauwe ogen? Was dat echt geweest of zinsbegoocheling? En hield het al dan niet verband met de vreemde sprongen in de tijd?

Toen Marinus even over tien uur aan zijn bureau in het gemeentehuis ging zitten en de vele dossiers voor zijn neus zag liggen, dreven de alledaagse beslommeringen de gedachten aan de vreemde gebeurtenissen naar de achtergrond. Maar niet voor lang. Toen hij het eerste dossier opensloeg - een college over de nieuwe woonwijk die ten oosten van het centrum van Laarbeke werd ingeplant - belde van Meirdeghem, de schepen van toerisme, welzijn, sport en jeugd, om te vragen waar Marinus bleef voor de vergadering over de boottochten. Marinus herinnerde zich maar al te goed dat deze vergadering pas om elf uur begon en hij wilde de schepen hierop attent maken, maar voor hij dat deed, blikte hij voor alle zekerheid even naar zijn uurwerk. Tien over elf. Meer dan een uur was schijnbaar in een paar seconden voorbijgetikt. Als de klok deze sprongen bleef maken zou hij binnen een paar maanden als oude knar zijn laatste adem uitblazen.

Marinus antwoordde zo gelaten mogelijk dat hij de tijd even uit het oog verloren was en dat hij meteen zou afkomen naar de vergaderzaal op de derde verdieping. *Geef het nou maar toe. Je bent ziek, ouwe jongen. Alzheimer of een andere verrekte ziekte. Misschien wel een tumor!* Hij probeerde die gedachten te negeren, maar slaagde daar minder goed in dan je uit zijn goedlachse gezicht kon opmaken.

Voordat Marinus het vergaderlokaal betrad, zoog hij zijn longen vol lucht en ademde langzaam weer uit om de spanning en angst van zich af te schudden. Hij duwde de deur open en deinsde geschrokken achteruit toen hij de aanwezigen rond de ovale, eikenhouten vergadertafel zag zitten. Ondanks de verlammende angst dwong hij zichzelf om het lokaal binnen te stappen en iedereen de hand te schudden. Schepen van Meirdeghem, de ambtenaar van toerisme, de drie gemeentelijke gidsen en de uitbater van het restaurant aan het kanaal. Marinus' hand trilde, maar hij probeerde zo weinig mogelijk te tonen dat hij doodsbang was van hen. Hij nam plaats aan het hoofdeinde van de tafel en schraapte zijn keel. Hij hoopte dat hij iets zou kunnen uitbrengen, maar was daar niet van overtuigd. Tot zijn verbazing kwamen de woorden en zinnen redelijk vloeiend over zijn lippen, maar hij mocht niet in de ogen van de aanwezigen kijken, want dan zou hij ongetwijfeld stamelen. Daarom keek hij net boven de hoofden en niet in de ogen van de zes personen rond de vergadertafel. Hun ogen straalden een onaardse, donkerblauwe gloed uit. Net zoals bij zijn zoon was er ook in hun ogen geen greintje menselijkheid meer te bespeuren. En het was niet alleen de kleur die hem benauwde, maar ook de uitdrukking. Hard, kil, gevoelloos.

Marinus trachtte zoals altijd op een bedaarde, gezapige manier de vergadering te leiden, maar dat lukte niet. Hij moest alle moeite van de wereld doen om zijn stembanden onder controle te houden en zijn handen beefden onophoudelijk op het tafelblad.

Marinus hield het vijf minuten vol, daarna lukte het hem niet meer om met hen in dezelfde ruimte te zitten. Hij veerde recht van zijn stoel en zwalpte happend naar lucht de vergaderruimte uit. Ook in de gang vond hij niet de vereiste zuurstof, hij strompelde naar het dichtstbijzijnde raam en klikte het open. De warme juniwind die hem tegemoetstroomde, kon hem niet onmiddellijk de nodige verfrissing bieden, maar toen hij een paar minuten uit het raam hing, voelde hij zich stilaan weer de oude worden.

Schepen van Meirdeghem kwam hem schoorvoetend achterna en bleef op een vijftal meter van de burgemeester staan. 'Gaat het, burgemeester?'

Marinus keek angstig in de ogen van de schepen, maar deze keer staarden hazelnootbruine ogen hem aan. Marinus haalde opgelucht adem. 'Ja, ja, gewoon een griepje', loog hij.

'Moet ik de vergadering verleggen of kom je…'

'Leid jij de vergadering maar. Als ik me wat beter voel, kom ik nog eens langs.'

'Goed.' De schepen wilde zich omdraaien, maar bleef besluiteloos staan. 'Kan ik nog iets voor je doen?'

De hypocriet. Voor hem kon Marinus niet ziek genoeg zijn. Hij had altijd al op de burgemeestersjerp geaasd. 'Nee, nee, alles onder controle.'

'Dan ga ik maar eens terug.'

Marinus hing nog enkele minuten uit het raam. Wat was er gaande? Hadden de aanwezigen écht blauwe ogen gehad of was het een soort hallucinatie geweest? Dat laatste leek hem het meest logische, maar wat was de oorzaak ervan? Dezelfde ziekte die hem ook de tijd deed vergeten? Marinus had veel vragen, maar geen antwoorden. Hij hoopte dat deze bizarre situatie slechts tijdelijk was en dat alles vlug weer normaal zou worden, maar hij had niet het gevoel dat zijn wens in de kortste keren in vervulling zou gaan.

7

Ceulemans twijfelde al de hele ochtend of hij Marie-Rose al dan niet zou opzoeken bij haar moeder. Uiteindelijk besloot hij nog even af te wachten. Waarschijnlijk zou ze hem op dit ogenblik toch nog niet willen zien. Eigenlijk hoopte hij dat Marie-Rose gewoon even tijd nodig had om met zichzelf en hun relatie in het reine te komen, en daarna naar hem zou terugkeren.

Hij was haar niet meteen achternagehold, maar dat betekende niet dat hij niet van haar hield. Hij zag haar ontzettend graag, al moest hij toegeven dat het passionele vuur in hem was geluwd tot een stille maar altijd brandende waakvlam.

Gedachten zwermden rond in zijn hoofd terwijl hij op zijn bureau het administratieve werk afhandelde. Ceulemans schrok op toen er plots iemand voor zijn bureau opdook. Hij blikte omhoog en staarde in het pafferige gezicht van korpschef Verbaanderd.

De korpschef streek de weinige maar lange haren die op zijn schedel groeiden, naar achter zodat het leek alsof hij nog een weelderige haardos had. 'En Ceulemans? Nog nieuws?'

'Momenteel nog niets.'

'Dat is niet wat ik wil horen, Ceulemans', sprak de korpschef streng.

'We doen al het mogelijke, maar mevrouw Vincke is nergens te vinden. We hebben haar buren, familie en vrienden allemaal verhoord. Ze hebben geen idee waar ze kan zijn. Iedereen vertelt mij dat ze een gelukkige vrouw was. Niemand kan mij een reden geven waarom ze ervandoor zou gaan.'

'En ontvoering?' vroeg de korpschef.

'Ook dat lijkt onwaarschijnlijk. Niemand heeft iets gezien en naar een motief is het gissen.'

'En haar kinderen? Hebben die niets waardevols meer gezegd?'

Ceulemans schudde het hoofd. 'Er is alleen het verhaal van de jongste over de blauwe mist.'

'Ze moet iets gezien hebben dat ze verdrukt heeft', sprak de korpschef alsof Ceulemans daar nog niet aan had gedacht.

'Zowat alle mensen van de sociale dienst en een psychologe hebben met haar gepraat. Het meisje vertelt telkens hetzelfde verhaal.'

'En de Cel Vermiste Personen van de Federale?'

'Die verzamelen momenteel alle informatie en hebben beloofd om te helpen. Maar veel heb ik daar nog niet van gemerkt.'

'Vorige keer werkten die volgens jou ook niet mee, maar ze hebben de dochter van Hugo Cuypers teruggevonden. Dat kunnen we van jou niet zeggen.'

Ceulemans beet op zijn tanden en reageerde er niet op.

'Als je dat graag hebt, zal ik bij de Federale wat druk op de ketel proberen te zetten', beloofde de korpschef.

Ceulemans haalde de schouders op. Hij dacht dat het niets zou opleveren.

8

Zuster Rita stond vanaf halfnegen alweer voor de klas en nu, zes uur later, was ze blij dat ze had beslist om niet de hele dag in bed te blijven luieren. Het lesgeven deed haar goed. Toch dacht ze nog de hele tijd aan het auto-ongeluk van dokter Merens en aan haar visioenen. Ze kon niet langer ontkennen of wegredeneren dat ze visoenen had, maar ze moest die aanvaarden, ook al was dat met tegenzin. Of de gave haar was geschonken door God of de duivel of helemaal niets te maken had met beide hogere machten, wist ze niet, maar haar geloof was sterk genoeg om voor zichzelf te bepalen dat God de verantwoordelijke moest zijn.

Ergens in de uithoek van haar hoofd glibberde toch de twijfel als een giftige slang rond.

Rita was niet gelukkig met de begaafdheid, maar nam ze toch in dankbaarheid aan. God moest een reden gehad hebben om haar met deze gave te zegenen, al voelde het vermogen eerder aan als een belasting dan als een zegening.

Toen de bel rinkelde en de leerlingen naar de speelplaats holden voor de korte namiddagpauze, overspoelde een golf van blauw haar onverwachts. Het was alsof een tsunami zich op haar stortte. Een overweldigende oerkracht sleurde haar in het blauw. Plotseling was er overal donkerblauw om haar heen. Een vettige, dikke substantie - water, mist of een andere materie - die haar helemaal omsloot.

Hoe langer ze in de zee van blauw vertoefde, hoe meer ze eraan wende. Haar hart ging op een normaler tempo slaan, haar ademhaling stabiliseerde en de angst loste zijn greep rond haar keel. Op dat ogenblik besefte Rita pas dat dit niet het einde van haar leven was maar het begin van een visioen. Ze nam zich voor om alle details in zich op te nemen zodat ze straks zou kunnen ingrijpen om de toekomst te veranderen, indien dit nodig mocht zijn.

Na enkele seconden - of waren het minuten, uren of dagen, dat viel nergens uit op te maken want tijd was onbestaande - kreeg zuster Rita een beeld voorgeschoteld van Kris Meskens uit het eerste middelbaar die papieren vliegertjes maakte en ze door de klas liet zweven. De ogen van de leerling volgden het vliegtuigje, dat over het hoofd van zuster Rita scheerde, en haakten zich vervolgens vast in haar blik. Zijn gezicht vertrok tot een duivelse grimas en zijn groene irissen kleurden rood. Twee hellepoelen. Het rood werd donkerder van tint en ging over in zwart. In zijn linkeroog vloog iets rond. Een grote, zwarte vogel, zwarter dan het zwart van het oog. Het was de vogel die ze ook in een ander visioen al had gezien en waarvan ze aanvoelde dat hij was gezonden door de duivel. De monstervogel verdween in de ooghoek van Kris. Op dat ogenblik zag ze in zijn rechteroog iets bewegen. Nerveus, schichtig, zoemend. Een wesp! Op het ogenblik dat Rita dit vaststelde, explodeerde het oog van de jongen. Een roetzwarte smurrie spatte in het rond. Kris viel dood neer op de grond.

Rita besefte dat het slechts een visioen was, maar toch kneep ze haar ogen dicht om het beeld van de dode jongen met de lege oogkas buiten te sluiten en bad ze tot God. Toen ze haar ogen weer opende, was het donkerblauw rondom haar verdwenen. Ze lag op de grond in het klaslokaal.

Het was de eerste keer dat een visioen zó duidelijk was geweest en ze wist onmiddellijk wat haar te doen stond. Ondanks haar oude, met spataders geplaagde benen, veerde ze op als een jong meisje en sprintte de kamer uit. Haar hart bonsde tot in haar keel en haar maag kromp samen.

De eerste de beste leerling die ze zag, greep ze vast bij de schouders en draaide ze om zodat ze hem recht kon aankijken.

'Waar is Kris?' vroeg Rita.

'K... Kris?' stamelde de jongen verward.

'Kris Meskens! De jongen uit het eerste middelbaar!'

'Die... Die ken ik niet... ik...'

Zuster Rita duwde de leerling zó hard opzij dat hij met zijn hoofd tegen de muur bonkte. Tranen sprongen in zijn ogen, maar Rita excuseerde zich niet. Ze snelde over de speelplaats, haar blik dwalend over de massa kinderen die als insecten door elkaar krioelden. Daar! In de hoek van de speelplaats stonden enkele meisjes uit de klas van Kris. Rita rende naar hen toe en pakte er twee tegelijk vast bij hun blouse.

'Kris! Waar is Kris?' vroeg Rita en ze hapte naar zuurstof.

'Kris... die... die is gaan voetballen', antwoordde Kim.

Rita loste de twee meisjes en liet hen verbijsterd achter. Ze baande zich een weg door de kindermassa. Sommige leerlingen keken vreemd op toen de zuster hen opzijduwde, maar de meesten gingen zó op in hun spel dat ze het niet eens merkten.

Juffrouw Berent kwam naar Rita toe gelopen, maar toen ze wilde vragen wat er aan de hand was, duwde Rita haar zó hard dat ze tegen de grond ging. Enkele leerlingen giechelden omdat hun lerares was gevallen. Juffrouw Berent kroop verbaasd weer recht en holde haar collega achterna.

Rita arriveerde aan het voetbalveldje, dat naast de speelplaats was gelegen, en haar blik viel meteen op Kris, die aan de kant zat en van een blikje cola dronk.

'Nee!' riep Rita.

Kris keek zuster Rita verbaasd aan, maar slikte de zoete inhoud toch door en tastte onmiddellijk daarna naar zijn keel. Zijn ogen drukten een mengeling van verbazing, angst en pijn uit. Kris viel achterover in het gras en Rita liet zich op haar knieën vallen en boog zich over hem heen. Gereutel kwam uit zijn opengesperde mond, waaruit een wesp vloog, die omhoogcirkelde, de blauwe lucht in.

Zuster Rita blikte om zich heen. 'Help! Help! Help!'

Juffrouw Berent kwam als eerste aangesneld, gevolgd door leraar De Plecker die een oogje in het zeil hield op het voetbalterreintje. De leerlingen die aan het voetballen waren, stopten en keken toe hoe hun vriend langs de zijlijn lag te kronkelen. Ook enkele kinderen van de speelplaats kwamen kijken.

De Plecker diepte zijn gsm uit zijn zak en belde een ziekenwagen. Zuster Rita wist nu al dat die te laat zou arriveren.

9

Ik heb besloten om het niet te doen, Marissa. Ik wil geen chemotherapie, geen bestraling, geen medicatie, niets. Ik wil mijn leven niet verlengen. De dood mag me komen halen wanneer hij de tijd rijp acht. Het spijt me, Marissa.'

Hij wilde dit zeggen op het ogenblik dat Marissa zijn kamer binnenkwam, maar hij kon het niet. Hoewel hij niet naar de woorden moest zoeken, maar ze in keurige zinnen in zijn hoofd zaten, kreeg hij ze niet over zijn lippen.

Hij wilde Marissa geen pijn berokkenen. Ze had al zoveel verdriet geleden in haar jonge leven. Toen ze vijf jaar was, trok haar vader er met zijn maîtresse vandoor en op haar twintigste verhuisden Marissa's moeder en stiefvader naar New York. Marissa bleef in Laarbeke en deelde een flat met een vriendin. Ondertussen was Marissa zelf gelukkig getrouwd en had een schat van een dochtertje. Maar Arthur wilde dat

Marissa altijd gelukkig was en hij besefte dat zijn beslissing haar dat geluk zou ontnemen.

Hij besloot het verdict van dokter Van Gierde af te wachten, maar daarna zou hij zijn kleindochter toch moeten vertellen dat hij met geen enkele therapie wilde starten. Hij hoopte dat de tests die hij gisteren had ondergaan, zouden uitwijzen dat elke behandeling nutteloos was zodat het niet nodig was om zijn beslissing aan zijn kleindochter mee te delen.

Arthur zat in zijn rolstoel en tuurde naar zijn in elkaar gevouwen handen, terwijl zijn kleindochter op de marmeren vensterbank zat en wezenloos naar buiten staarde. Stilzwijgend wachtten ze het verdict van dokter Van Gierde af die elk moment kon arriveren. Marissa hield angstvallig de auto's in de gaten die de parking van het bejaardentehuis opreden, maar ze had de grijze BMW van de dokter nog niet opgemerkt. Indien Van Gierde op de kleine parking voor het bejaardentehuis een plaatsje vond, zou ze hem helemaal niet zien toekomen.

Iets minder dan een halfuur bleef het stil in de kamer en toen Arthur net had besloten om zijn kleindochter te zeggen waar het op stond, werd hij gestopt door het geklop op de deur.

'Binnen', ontsnapte het heel zwakjes uit Marissa's mond.

De deur zwaaide open en in het deurgat stond dokter Van Gierde.

'Goeienamiddag', zei de dokter met zijn kenmerkend Hollands accent.

'Goeienamiddag, dokter', antwoordden Arthur en Marissa in koor.

Anders was Van Gierde altijd relax, maar nu bewoog hij zich stroef. Hij wist zich duidelijk geen houding te geven. De krampachtige manier van doen vergrootte de zenuwachtigheid, zowel bij Marissa als bij Arthur.

'Mag ik even hier gaan zitten?' vroeg de dokter terwijl hij het houten stoeltje naast het bed aanwees.

Marissa knikte en ging op de rand van Arthurs bed zitten.

Van Gierde nam plaats en schoof ongemakkelijk heen en weer op zijn stoel, pulkte aan zijn grijze baard, streek door zijn weinige haren en duwde met het topje van zijn middelvinger zijn bril recht op zijn haviksneus. Zijn rusteloos gedrag deed Arthur vermoeden dat er slecht nieuws volgde. Waarschijnlijk was de kanker al zó uitgezaaid dat een behandeling geen enkele zin meer zou hebben.

Dokter Van Gierde boog zich voorover, verstrengelde zijn vingers in elkaar, liet zijn duimen over elkaar draaien en schraapte zijn keel.

'Dokter Du Vers van het UZ in Brussel heeft me zonet van de resultaten op de hoogte gebracht. Hij was heel verbaasd, verwonderd is misschien een beter woord, over de uitslag van het onderzoek. En ik moet zeggen dat ik hem haast niet geloofde toen hij het mij vertelde. Hoe dan ook. Uit de resultaten blijkt dat een behandeling totaal overbodig is.'

De tranen sprongen in Marissa's ogen en ze depte ze met een klein, wit zakdoekje met een vlindermotiefje. Arthur had de houding van de dokter juist geïnterpreteerd; de kanker had zich zó uitgezaaid dat er geen enkele kans op genezing was.

'Kunnen ze echt niets meer doen?' vroeg Marissa smekend. 'We zijn bereid om…'

Voor ze haar zin kon afmaken, stak Van Gierde een hand de hoogte in en onderbrak haar.

'Ik denk dat u mij verkeerd begrepen heeft, Marissa. De dokters moeten uw grootvader niet meer behandelen omdat het kankergezwel er niet meer is.'

Arthur en Marissa keken Van Gierde aan alsof hij zijn verstand had verloren. Nog niet zo heel lang geleden had dokter Du Vers hen meegedeeld dat Arthur darmkanker had en Van Gierde had na het zien van de resultaten deze diagnose bevestigd. En nu kwam hij hiermee aandraven?

'Was de diagnose dan verkeerd?' vroeg Arthur.

'Zo ziet het er niet uit.'

'Ziet het er zo niet uit of is het zo niet?' bitste Marissa. Ondanks de gunstige resultaten werd ze overmand door woede, want als de diagnose onjuist was geweest, hadden ze voor niets zolang in angst geleefd.

Van Gierde schraapte zijn keel. 'De diagnose was wel degelijk juist.' Hij richtte zich tot Arthur. 'U had wel degelijk darmkanker, maar op de een of andere manier is die verdwenen. En… eerlijk gezegd, begrijp ik er niets van. Net zomin als de dokters in het UZ. Ook zij hebben dit nog nooit eerder meegemaakt. Dit is heel bijzonder, Arthur. Dokter Du Vers heeft me dan ook gevraagd of ik er bij u wilde op aandringen om enkele dagen in observa…'

Arthur stak beide handen afwerend voor zich uit. 'Vergeet het, dokter, ik ben 81 en het laatste wat ik wil, is voor proefkonijn spelen.'

'Ik begrijp het, Arthur. Ik zal dokter Du Vers uw antwoord meedelen.'

'Mooi zo.' Arthur wist niet of hij verheugd moest zijn of niet. Hij had zich voorbereid op zijn dood. God, hij deed niet anders dan zich elke dag voorbereiden op zijn dood en nu hij dacht dat zijn laatste uur geslagen had en hij zich daar volledig bij had neergelegd, gebeurde dit. Een miraculeuze genezing. Nee, daar geloofde hij niet in. Er moest iets anders zijn.

Louisa!

Telkens wanneer zij hem had bezocht, had hij gedacht dat ze tot hem kwam om hem mee te nemen naar het hiernamaals, maar misschien was er wel een andere reden. *Heeft Louisa mij bezocht om mij te genezen? Maar waarom? Waarom zou ze mij genezen? Om mijn zinloze verblijf op aarde te verlengen?* Dat sloeg nergens op. Waarom nam Louisa hem gewoon in haar armen en nam ze hem mee naar haar wereld?

Nadat dokter Van Gierde de kamer had verlaten, rolden er tranen over Arthurs wangen. Marissa liet zich op haar knieën vallen en legde haar hoofd in haar grootvaders schoot. Zijn vingers maalden door haar zachte haren en ook zij huilde, maar haar tranen waren tranen van opluchting en vreugde.

10

Na het werk reed Aaron onmiddellijk naar de opvangmoeder van Ayla. Hij parkeerde zijn auto langs het kanaal en belde aan. Het eerste wat de opvangmoeder zei, was dat Ayla's toestand niet was verbeterd. Ze had de hele dag gehuild. Mariette liet ook al vlug blijken - zij het niet rechtstreeks - dat ze liever had dat Ayla niet meer bij haar kwam tot ze wisten wat er met haar aan de hand was. Ze was zichtbaar opgelucht toen Aaron vertelde dat ze Ayla morgen zouden laten onderzoeken in het Erasmusziekenhuis in Brussel.

Aaron hoopte dat hij in de armen van zijn vrouw de steun en rust zou vinden die momenteel zo essentieel voor hem was, maar toen hij Kathleen in de sofa aantrof, besefte hij meteen dat hij het was die troost zou moeten bieden. Zijn vrouw lag languit op haar rug, haar verstijfde vingers omknelden het dekentje dat als bescherming diende voor de lederen banken en haar waterige ogen tuurden wezenloos naar het plafond. Ze merkte niet eens dat Aaron was binnengekomen.

'Kathleen? Gaat het?' vroeg Aaron stilletjes terwijl hij voorzichtig naar haar slofte.

Kathleen draaide haar hoofd en blikte zijn richting uit, maar het was alsof ze door hem heen tuurde. Ayla stopte eventjes met schreien, alsof ook zij schrok van de aanblik van haar mama, maar zette haar huilconcert daarna onverminderd voort.

Aaron hurkte met Ayla in zijn armen naast zijn vrouw en legde zijn hand teder op haar kille arm. Ze kromp ineen onder de aanraking.

'Wat is er?' vroeg Aaron bezorgd.

'Ik ben ontslagen', zuchtte ze.

Ontslag was niet al te best gezien hun onzekere financiële situatie, maar Aaron bleef kalm en vroeg wat de reden was van haar ontslag.

'Heb je de klant niet kunnen binnenhalen?' vroeg hij voorzichtig omdat Kathleen niet antwoordde.

Nu reageerde Kathleen wel. Nog meer tranen schoten in haar vochtige ogen. 'De klant! Ah! Daar ben ik niet eens geraakt', lachte ze hysterisch. 'Ik… ik durfde de brug niet over. Ik heb de auto langs de weg geparkeerd en toen… toen ben ik in slaap gevallen.' Met haar spitse nagels greep Kathleen de arm van Aaron vast. 'Er is iets helemaal mis, Aaron.'

Aaron knikte. 'Ik weet het', zei hij. 'Ik weet het.'

11

Rita zag het donkerblauwe mistgordijn toen ze in de tuin een korte wandeling maakte.

Slapen lukte niet omdat ze voortdurend aan Kris moest denken. De jongen was gestorven als gevolg van de wespensteek nog voordat de ziekenwagen arriveerde.

Waarom gaf God haar visioenen als ze er niemand mee kon helpen? Eerst dokter Merens en nu Kris. Of was het haar eigen schuld? Moest ze de visioenen sneller en beter interpreteren? Maar na het visioen over Kris had ze toch onmiddellijk gereageerd, niet?

Misschien was dit een leerproces, en misschien wilde God dat ze door te falen de visioenen steeds beter zou gaan interpreteren, zodat ze er klaar voor was als het echt van belang was. Maar als het leven van een kleine jongen niet van belang was, wat was er dan wel gewichtig genoeg voor God? Terwijl Rita zich deze vraag stelde, borrelde er onverwachts een antwoord op.

De strijd tegen de duivel. Dat zou belangrijk genoeg zijn voor God.

Rita vond het maar een dwaze gedachte, een strijd tussen hemel en hel. En als dat al het geval mocht zijn, hoe kon een doodgewone kloosterzuster God dan bijstaan in Zijn strijd?

Misschien was ze niet de enige die gaven had. Misschien waren er anderen zoals zij, die bepaalde capaciteiten en vermogens hadden die ten goede konden worden aangewend. Misschien verzamelde God een leger om in te zetten tegen het kwade.

Zuster Rita hechtte weinig geloof aan haar eigen opvattingen, maar ze verkoos deze mogelijkheid boven diegene die in een uithoek van haar brein bleef rondzwalpen, namelijk dat niet God maar de duivel haar had uitgekozen als pion in zijn plan om de wereld te vernietigen.

Het donkerblauwe mistgordijn strekte zich uit over de hele horizon. De mist voelde kil, donker, dreigend aan, alsof het een brij was die de wereld wilde onderdompelen in het duister. Rita geloofde niet dat deze mist een gewoon natuurverschijnsel was, en gezien de dreiging die ervan uitging, dacht ze ook niet dat het een teken van God was. Alleen de duivel kon aansprakelijk zijn voor dit kille, sombere blauw.

De woorden die Bernadette op haar sterfbed had uitgesproken, kolkten door Rita's hoofd.

'Het... is... de mist.... Rita... de... nachtblauwe mist... zal... neerdalen... en iedereen... meenemen... naar... de hel.'

Vrijdag 18 juni (dag 5)

1

Tijd was voor Marinus een begrip geworden zonder enige betekenis, een concept dat hem vroeger – maar wat hield 'vroeger' eigenlijk nu nog in? – grip had gegeven op de realiteit. Tijd moest een lange, rechte lijn zijn, geen kronkelend snoer met een oneindig aantal lussen.

Marinus had heimwee naar de dagen waarop de zon 's morgens opkwam, rond de middag hoog aan het hemelgewelf stond en 's avonds weer wegdook onder de horizon. Toen hoefde hij nog niet te twijfelen aan zijn verstand.

Vrijdag 20 juni verliep allesbehalve chronologisch en hoewel Marinus het vermoedde, was hij er niet eens zeker van dat het wel degelijk vrijdag 20 juni was.

Om iets over acht uur 's morgens spoelde hij aan de ontbijttafel drie sandwiches met kaas weg met een lauwe kop koffie, waarna het plots een halfuur vroeger was en hij weer in bed lag. Zijn maag knorde alsof hij nog niets had gegeten en waarschijnlijk was dat ook het geval want hij zou pas binnen een halfuur ontbijten. Toen hij in zijn pantoffels gleed om beneden zijn oude koffieapparaat, dat enkel nog lauwe koffie serveerde, aan het werk te zetten, zat hij van het ene op het andere ogenblik middenin een vergadering over de herziening van de gemeentebegroting. Zijn horloge gaf aan dat het elf minuten over twee in de namiddag was. Gelukkig droeg hij niet langer zijn zeeblauwe pyjama en zijn versleten slippers waaruit zijn dikke tenen kwamen piepen, maar had hij zijn nachtelijke kleren geruild voor een donkergrijs pak met een lichtgrijze das en zwarte lederen schoenen. Marinus wist niet wanneer hij zich had omgekleed en wat hij allemaal had gedaan in de tussentijd. De scherpe blikken van zijn partijgenoten rond de vergadertafel priemden in hem, maar voor hij kon vragen waarom ze hem zo bekeken, zat hij achter het stuur van zijn wagen en reed hij bijna een fietser van de weg omdat hij niet geconcentreerd was op het verkeer om hem heen. Hij wierp een korte blik op de groene digitale cijfers op zijn dashboard. Kwart voor elf 's morgens.

Marinus onderging de vreemde ervaring met verwondering, maar zonder angst, want de tijdsprongen kwamen zó snel dat er nauwelijks tijd was om schrik te hebben of om te reageren. Hij nam zich voor om aan het einde van de dag - wanneer dat ook mocht zijn – alle puzzelstukjes samen te leggen zodat hij kon achterhalen hoe zijn dag er had uitgezien, maar dat zou alleen lukken als de tijdsprongen beperkt bleven tot vandaag.

Terwijl deze gedachten door zijn hoofd gingen, loodste hij tot zijn verbazing en opluchting zijn wagen nog steeds door de straten van Laarbeke. Hij had er geen idee van wat zijn bestemming was, maar intuïtief voelde hij aan dat hij rechts de Kerkstraat moest indraaien en dat deed hij dan ook. Zijn voet schoot naar de rem toen er plotseling een oude windmolen voor hem opdook. Hij vroeg zich af wie er op één nacht tijd in het midden van de straat een molen had gebouwd, maar hij kwam al vlug tot het besef dat hij niet langer in zijn auto zat maar in zijn bureau naar het schilderij van de molen staarde dat aan de wand hing. Op zijn tong proefde hij een dik, maar niet onsmakelijk papje en toen hij zijn hoofd boog, zag hij dat hij achter zijn schrijftafel een frambozenyoghurtje naar binnen speelde. De klok in zijn bureau wees elf uur aan, maar voordat hij een volgende hap van zijn dessert kon oplepelen was het halfvijf en las hij thuis aan de keukentafel enkele persberichten na die informatieambtenaar Reijnders had opgesteld. Voor de geschreven woorden tot hem konden doordringen, zat hij opnieuw in zijn bureau naar het schilderij van de oude molen te staren. Een milliseconde later was het weer halfacht 's morgens en kroop Marinus voor de tweede keer hongerig uit bed, deze keer met de intentie om dokter Van Gierde op te zoeken in de hoop dat die kon achterhalen wat er in godsnaam met hem aan de hand was.

Marinus vroeg zich af hoe hij bij de dokter kon geraken. Een onmogelijke opdracht als de tijd zo door elkaar bleef vloeien. Voor die gedachte hem verliet, zat hij alweer thuis, de hoorn van de telefoon tegen zijn oor gedrukt om de aanpassingen van de persberichten te bespreken met Reijnders.

2

Vrijdag bestond voor Kathleen en Aaron grotendeels uit wachten. Wachten tot het halfzes was om te vertrekken naar het Erasmusziekenhuis in Brussel voor Ayla's onderzoek. Hun dochtertje had ook deze nacht voortdurend gehuild waardoor ze niet waren toegekomen aan slapen. Beide ouders waren bekaf en doodnerveus. Ze hoopten dat de tests in het ziekenhuis enig resultaat zouden opleveren en als dat niet het geval was, waren ze van plan pediater Vanhove te vragen om Ayla in het ziekenhuis te houden voor observatie.

Nadat Kathleen zich had gedoucht en aangekleed, ging Aaron naar boven om zich op te frissen. Hij liep op de toppen van zijn tenen de trap op om Ayla, die eindelijk in haar bedje in slaap was gevallen, niet te wekken. Een beetje overbodig, want binnen een halfuurtje zou Ayla toch wakker worden als ze vertrokken.

Kathleen hoopte dat ze de tocht naar Brussel zonder al te veel problemen zou doorstaan, maar voelde nu al hoe de angst haar maag dichtkneep.

3

Ceulemans was bijna vierentwintig uur op vierentwintig bezig met de verdwijningszaak, maar van mevrouw Vincke geen spoor. Het was alsof ze in rook was opgegaan.

De Federale had beloofd een profiel op te stellen. Hij had hen gevraagd hem op de hoogte te houden van hun vorderingen maar hij had nog altijd niets van hen gehoord.

In de late namiddag wist de hoofdinspecteur niet meer wat hij nog kon ondernemen om mevrouw Vincke op te sporen, hij nam een korte pauze om zijn vrouw op te zoeken. Hij passeerde vlug nog even thuis om schone kleren aan te trekken. Eigenlijk hoopte hij dat Marie-Rose ondertussen was teruggekeerd naar huis maar alle kamers lagen er even leeg en zielloos bij als toen hij vanmorgen was vertrokken.

Toen Ceulemans bij zijn schoonmoeder aanbelde, had hij verwacht dat zij hem de laan zou uitsturen, maar ze liet hem zonder morren binnen. Waarom verbaasde hem dat eigenlijk? Hij had toch moeten weten dat zijn vrouw hem wel degelijk zou willen spreken. Het was niet zij maar hij die confrontaties altijd uit de weg ging.

Ceulemans had verondersteld dat Marie-Rose hem niet wilde zien en had niet het minste idee wat hij haar moest zeggen. Dit had enkel een bezoekje moeten worden om aan te tonen dat hij haar terug wilde. Hij was niet van plan geweest om zijn spijt te betuigen of om haar te overtuigen terug naar huis te komen. Nu kon hij niet op zijn stappen terugkeren.

Zijn schoonmoeder liet hem plaatsnemen in de kleine sofa naast de televisie. Enkele minuten later kwam Marie-Rose naar beneden. Het was lang geleden dat het hem nog was opgevallen hoe knap ze wel was. Haar lange, ravenzwarte haren, de intense blik in haar bruine ogen, haar fijne lippen en kleine wipneusje. Ze had zich opgedirkt en hij kon alleen maar hopen dat ze dit speciaal voor hem had gedaan.

Waarom had hij de laatste tijd niet meer gezien hoe aantrekkelijk Marie-Rose was? Waarom was hij haar als deel van het decor gaan beschouwen en aanbad hij haar niet meer zoals hij zoveel jaren geleden wél had gedaan? Waarom kwam hij nu pas tot het inzicht dat hij nog enorm veel van haar hield en dat hij haar ontzettend miste? Waarom voelde hij nú pas opnieuw een verbondenheid met haar?

Bij relatieproblemen zouden beide partijen schuld hebben, maar op dit ogenblik kon hij zich met de beste wil van de wereld niet voor de geest halen wat Marie-Rose verkeerd had gedaan. Op dit moment zag hij haar als een perfect wezen en zichzelf als een afvallige die alle zonden van de wereld moest torsen. Hij voelde zich leeg vanbinnen, alsof hij enkel bestond uit een ontzield omhulsel.

Marie-Rose ging tegenover hem in de lange sofa zitten, de armen en benen gekruist. Een afwerende houding waaruit een afstandelijkheid sprak die hem verkilde. Haar ogen waren niet roodbetraand maar levenslustig. Toch nam hij ook een kilte waar in haar blik. Haar ogen vertelden hem dat ze niet was vertrokken in een plotse opwelling, maar dat ze het had gepland. Het was geen emotionele beslissing geweest maar een verstandelijke en ze was zeker niet over één nacht ijs gegaan.

Ceulemans zag ook nog iets anders in haar ogen, iets wat hem bijna deed breken. Hij zag dat ze niet zou terugkeren, wat hij ook zei, hoe hard hij ook smeekte.

'Wat kom je doen?' vroeg ze. Die ene koele zin bevestigde zijn vermoeden. Hij was haar voor altijd kwijt. En hoewel hij besefte dat ze niet zou terugkomen, wilde hij er toch alles aan doen om hun liefde een tweede kans te geven.

'Het spijt me', zei Ceulemans, met een stem die fragiel was als de vleugels van een vlinder. 'Jij hebt geen schuld, Marie-Rose. Ik ben de schuldige. Ik ben te veel met mijn werk bezig, ik denk er dag en nacht aan, maar ik kan het niet verhelpen. Ik weet dat jij altijd op de tweede plaats komt en dat spijt me zo.' Ceulemans hoorde hoe radeloos en zielig hij klonk, maar hij kon er niets aan doen. 'Het is nog niet te laat voor ons, Marie-Rose. Het mag nog niet te laat zijn. Ik hou van je en ik hoop dat je me ooit kan vergeven voor wat ik je heb aangedaan, maar ik zal het ook begrijpen als je dat niet kan. Ik vraag je dan ook niet om terug te komen, maar gewoon om na te denken of er ook maar een kleine kans bestaat dat je met iemand zoals ik verder wil.'

Voordat Marie-Rose iets kon zeggen, richtte hij zich op uit de sofa, boog zich over haar en kuste haar op het voorhoofd. Tranen vloeiden over zijn wangen toen hij naar buiten stapte. Marie-Rose hield hem niet tegen.

Buiten vervloekte hij zichzelf omdat hij zich zo had laten gaan. In de politiewagen was hij meteen opnieuw hoofdinspecteur Ceulemans. Hij kon het niet aan nog langer Dennis te zijn. Ceulemans dwong zichzelf om weer aan de verdwijningszaak te denken.

Op het politiebureau heerste aan de receptie een chaos die eerder thuishoorde in het bureau van het Amerikaanse NYPD dan in het lokale politiekantoortje van Laarbeke. Een dertigtal mensen vochten om de aandacht van de receptioniste die niet wist in welke richting ze eerst moest kijken. Drie politieagenten verleenden haar bijstand maar werden zelf aangeklampt door mensen die door elkaar schreeuwden. Ceulemans kende de meeste burgers en vroeg zich af waarom ze zo hysterisch waren. Ze waren duidelijk bang voor iets en wilden dat er nota werd genomen van hun klachten en bevindingen.

De wanorde veranderde in een regelrechte chaos toen de landloper, die eerder al was komen vertellen over de verdwijning van Lisa, op de houten zitbank ging staan en als een gek onzin begon te schreeuwen. 'Neem het brood en geef het aan de behoeftigen!' brulde hij. 'Wat we bezitten, heeft geen belang! Goud en zilver zijn waardeloos! Dat begin te rotten en die rottigheid zal ons hart verslinden!'

Ceulemans wilde niet weten welke nonsens de zwerver nog allemaal zou uitkramen en baande zich een weg door de propvolle receptiehal. Hij pakte de oude man beet bij zijn bevuilde jas en trok hem met een ruk van het zitbankje. De landloper ging bijna tegen de grond, maar vond steun tegen de heup van Ceulemans. Met zijn intense ogen boorde hij in die van Ceulemans, waarna hij heel kalm, maar doordringend zei: 'De vloed en het vuur zullen binnenkort komen! En alles zal verwoest worden!'

'Ja, ja', riep Ceulemans, 'ga buiten onder een brug je roes maar uitslapen.' Voor de zwerver hierop kon reageren had Ceulemans hem het politiebureau al uitgegooid. Ceulemans wurmde zich door de menigte en beende de kantoorruimte binnen. Sanders zat als enige in het gemeenschappelijke kantoor.

'Wat is hier verdomme aan de hand?'

'Het is bizar, hoofdinspecteur. Er... er zijn tientallen inwoners vermist. De mensen zijn ongerust en komen hun vermiste vrienden en familieleden aangeven.'

Ceulemans stond als aan de grond genageld en elke reactie bleef uit. Hij had een paar seconden nodig om de informatie tot zich door te laten dringen en ging op een stoel zitten, met zijn hoofd tussen de handen. Wat was er toch aan de hand? Hoe konden er plots zoveel mensen verdwijnen?

Ceulemans wilde het uitschreeuwen, maar als hij zijn hoofd er niet bijhield, wie zou dat dan wel nog doen? Als hoofdinspecteur had hij een voorbeeldfunctie.

'Sanders, bel alle agenten die je kan bereiken, thuis op en laat hen naar hier komen. Als ze hier zijn, zetten we enkelen van hen in om iedereen te bedaren in de receptiehal. Desnoods geven we de mensen een nummertje zoals bij de slager. De andere agenten kunnen hier in het bureau de aangiften noteren. Druk de mensen op het hart dat we er alles zullen aan doen om hun geliefden zo snel mogelijk terug te vinden. Nu!' riep hij toen Sanders niet onmiddellijk in actie schoot. Ceulemans keek om zich heen. 'Waar is de korpschef?'

'In zijn bureau', antwoordde Sanders terwijl hij de hoorn van de haak nam en de eerste agent opbelde.

Ceulemans stevende af op het bureau van de korpschef. Het was kenmerkend voor Verbaanderd dat hij zich in een crisissituatie terugtrok en zijn agenten aan hun lot overliet. Hij was allesbehalve stressbestendig, daarom ook dat hij het korps van Brussel onmiddellijk vaarwel had gezegd toen de positie van korpschef in Laarbeke vacant was.

Het vadsige lijf van Verbaanderd leunde achterover in de brede stoel, zijn blik was gericht op de foto van zijn niet-onknappe dochter en verlegde zich naar Ceulemans toen die onaangekondigd binnenviel.

'Wat... wat is er toch aan de hand, Ceulemans?' vroeg hij als een bang jongetje. 'Zoveel verdwijningen tegelijk, dat is toch onmogelijk? Ik heb het archief geraadpleegd en het is verdomme zestien jaar geleden dat er in Laarbeke nog iemand verdwenen is en...'

'Met statistieken kunnen we dit probleem niet oplossen, korpschef.'

'Nee... misschien niet, nee.'

'Heb je de burgemeester al gebeld?' vroeg Ceulemans.

'Nou, nee, ik wilde afwachten tot we precies weten wat er aan de hand is.'

'Dat kan nog wel even duren.'

Een uitgerekte zucht ontsnapte uit zijn mond. 'Ik zal hem bellen.'

4

De tijd tikte nu al iets meer dan drie minuten ononderbroken verder. Dat moest het record zijn van vandaag. Vanaf 17.07 uur zat Marinus in zijn auto en het was nu precies tien over vijf. Het was een verademing om in chronologische volgorde te kunnen leven, in dezelfde tijd en ruimte.

Hij maakte van de gelegenheid gebruik om naar de praktijk van dokter Van Gierde te rijden. De Nederlandse dokter had zich enkele jaren geleden in Laarbeke gevestigd, maar had niet eens een kwart van het aantal patiënten van Merens omdat deze laatste in de gemeente geboren en getogen was en bovendien zijn vader opvolgde. Marinus kende Van Gierde wel, maar was nog nooit bij hem langsgeweest. Hij vroeg zich af hoe de dokter zou reageren op zijn probleem. Waarschijnlijk even verbaasd als gelijk welke andere dokter. Dit onderzoek zou weleens het eerste in een lange reeks kunnen zijn en daar had Marinus weinig zin in, want dan zou de eerste schepen zijn positie tijdelijk innemen en hij hield er niet van om de touwtjes uit handen te geven.

Hij diepte zijn mobieltje uit zijn broekzak.

'Hallo, met Marinus.'

'Burgemeester! De korpschef hier.'

'Dag korpschef, zeg het maar.'

'We zitten met een probleem, burgemeester.'

Marinus lachte geforceerd. Welk probleem kon op dit ogenblik groter zijn dan zijn eigen probleem? 'Als jij me belt, is het altijd met problemen.'

De korpschef ging daar niet op, nam niet eens de tijd om het weg te lachen. 'We zitten hier op het bureau met meerdere aangiftes van verdwenen personen.'

Marinus fronste zijn wenkbrauwen. 'Ik dacht dat het enkel om mevrouw Vincke ging.'

'Nu niet meer. Er zijn een aantal burgers aangifte komen doen.'

'Over hoeveel vermiste personen hebben we het juist?'

'Nou ja, er zijn al een twintigtal meldingen binnen, maar het politiekantoor staat hier nog boordevol mensen.'

'Twintig?'

Het woord bleef een paar seconden in de lucht hangen.

'Ik kom eraan', besloot Marinus. 'Verzamel je meest competente krachten in de raadzaal en waarschuw meteen ook de nodige instanties van buiten de gemeente.'

'Doe ik, burgemeester.'

Marinus sloot het gesprek af. Waar sloeg dat allemaal op? Mensen verdwenen toch niet zomaar op klaarlichte dag? Twintig dan nog wel? Dat was gewoon onmogelijk!

5

Ceulemans ging achter zijn bureau zitten om naar de Cel Vermiste Personen van de Federale Politie te bellen. Als ze nu nog niet in actie schoten, mochten ze voor zijn part de cel opdoeken.
Hij zette de hoorn aan zijn oor en toetste het nummer in, maar er werd niet opgenomen. Een gezoem... Hij probeerde opnieuw, maar de zoemtoon bleef. Het was de eerste keer niet dat zijn telefoon het liet afweten en daarom liep hij naar het gemeenschappelijke bureau, waar hij plaatsnam achter de dichtstbijzijnde schrijftafel. Hij nam de hoorn van de haak en drukte het nummer van de Cel Vermiste Personen in. Ook nu enkel gezoem.
'De telefoons lijken het niet te doen, Sanders. Gaat die van jou?'
Sanders keek op van zijn desk waar hij formulieren zat in te vullen en knikte. 'Ja, ik heb zonet alle agenten opgetrommeld.'
'Goed zo, neem jij voor mij eens contact op met de Cel Vermiste Personen.'
Sanders deed wat hem gevraagd werd, maar hij schudde het hoofd terwijl hij de haak terug op de hoorn gooide. 'De telefoon gaat niet over. Misschien is die van hen kapot?'
'Dan zou er een bezettoon moeten klinken', merkte Ceulemans op.
'Tja, eigenlijk wel.'
Een vreemd voorgevoel nestelde zich ter hoogte van Ceulemans' maag.
'Bel eens een andere instantie op!'
'Welke?'
'Doet er niet toe.'
'Maar...'
'Bel het korps van Brussel op.'
Sanders volgde de orders van zijn chef op. 'Wat moet ik zeggen als...'

Hij zweeg en keek Ceulemans verbaasd aan. 'Nee, het gaat niet.'
'Heb je de andere agenten op hun gsm of op hun vaste telefoon gebeld?'
'Het hangt ervan af wie het was. Dirk, die...'
'Waar is je vriendin?' onderbrak Ceulemans hem.
'Wat? Wat heeft...'
'Waar is je vriendin?' drong Ceulemans aan.
'Thuis, maar...'
'Bel haar op!' Ceulemans besefte maar al te goed dat hij net zo goed zelf had kunnen rondbellen, maar hij zat als bevroren op de stoel en was niet in staat om actie te ondernemen.
Sanders vormde het nummer van zijn vriendin en kreeg haar meteen aan de lijn. 'Hoi, schatje. Ja, alles goed, ik bel gewoon even om de telefoon te testen. Die heeft rare kuren hier op het bureau. Ja, daaag, tot straks.'
Sanders gooide de hoorn neer. 'Ik begrijp er niks van.'

6

Arthur zat op een bank in het park. Zonder hulp van zijn kleindochter was hij uit zijn rolstoel gekropen. Met angstige ogen had Marissa gezien hoe haar grootvader enkele meters strompelend had afgelegd en met een diepe zucht op de bank was gaan zitten. Nu zat ze naast hem, haar rechterarm in die van hem gehaakt, hem steunend met haar schouder. Arthur wist dat hij niet van de bank zou donderen. Zijn achterkleindochtertje plukte aan zijn voeten boterbloempjes die van tussen het lange gras kwamen piepen.
'Het is een mirakel, opa.'
'Dat is het minste wat je kan zegen', beaamde Arthur.
'Wat is een mirakel?' vroeg Ankie terwijl ze naar haar moeder opkeek.
'Een mirakel is een wonder', legde Marissa uit.
Ankie begon spontaan te zingen terwijl ze doorging met het plukken van de kleine, gele bloempjes. ''k Zag twee beren broodjes smeren, o

dat was een wonder, 't was een wonder boven wonder dat die beren smeren konden, hi, hi, hi, ha, ha, ha, ik stond erbij en ik keek ernaar.'
Overgrootvader en moeder moesten lachen om de onschuld van het meisje. Het gezang had iets ontwapenends.
'Het is Louisa', zei Arthur plots. 'Zij heeft hiervoor gezorgd.'
Arthur keek recht voor zich uit, maar voelde de blik van Marissa branden.
'Waar heb je het over?'
Arthur draaide zich en keek haar in de ogen. 'Het is moeilijk om te geloven, Marissa, maar je grootmoeder heeft mij de laatste weken bezoekjes gebracht. En sinds dan voel ik me veel beter.'
'Ze is dood, opa', zei Marissa alsof Arthur dat niet wist.
'Ik begrijp ook niet hoe het kan, meisje, maar het is wel zo.' Arthur glimlachte. 'Je moet wel denken dat ik gek ben. Nog maar pas genezen van een fysisch mankement en nu mentaal al naar de vaantjes.'
Zijn kleindochter wendde haar blik van hem af en staarde voor zich uit. Arthur had er geen idee van wat er door haar hoofd ging.
'Ik denk dat ze me komt roepen.'
'Maar... maar als ze je heeft genezen, waarom zou ze je dan roepen?' vroeg Marissa, die haar best deed om zich in te leven in de imaginaire wereld van haar grootvader.
'Dat weet ik niet, meisje. Dat weet ik niet.'
Arthur besefte dat niemand hem zou geloven. Zijn kleindochter bleef een tijdje zwijgzaam naast hem zitten en nam vervolgens afscheid. Ankie reikte haar overgrootvader een boterbloempje aan.
'Is dit voor mij, liefje?'
Ankie schudde het hoofd. 'Voor moema. Wil je haar dit geven als je met haar op reis gaat?'
'Tuurlijk, liefje'. Ontroerd nam hij het bloempje aan en drukte een kusje op de beide wangetjes van zijn achterkleindochter. 'Moema zal er bijzonder blij mee zijn.'
Marissa maakte zich met Ankie vlug uit de voeten, maar Arthur kon zich best voorstellen dat ook zij tranen in de ogen had.
Toen ze een paar minuten weg waren, doemde de donkerblauwe mist op. Een dikke brij die de omgeving overspoelde. De wolk van mist

dreef naar hem toe en kwam enkele meters vóór de bank tot stilstand. Tranen in zijn ogen toen hij in de mist een verschijning waarnam. Louisa. Ze kwam niet op hem af, maar dwaalde rond in het blauw alsof ze verloren was gelopen.

'Louisa!'

Ze hoorde hem niet, maar liep de andere kant uit, steeds verder van hem weg. Hoewel de mist heel de omgeving opslokte, kon hij haar nog zien. Heel duidelijk zelfs. Ze had een donkergroene rok en een lichtgroene blouse aan. Haar blote voeten raakten de grond niet, maar zweefden in het ijle.

Arthur richtte zich moeizaam op van de bank en wankelde naar de blauwe nevel. Het bloed stroomde steeds sneller door zijn aders en met elke stap die hij zette voelde hij zich krachtiger worden, alsof de mist een helend vermogen bezat.

Toen Arthur zich in het mistgordijn begaf, voelde hij zich opnieuw zo fit als een puber. Zijn benen maalden steeds sneller onder zijn lichaam en voor hij het goed en wel besefte, sprintte hij zijn overleden vrouw achterna. Hij schreeuwde haar naam en toen hij haar bijna had bereikt, blikte hij nog even achterom om de wereld die hij verliet, vaarwel te zeggen.

7

Tijd wordt gedefinieerd als de voortgang en opeenvolging van gebeurtenissen en verschijnselen, als een zelfstandige en ononderbroken eenheid. Voor de burgemeester kreeg tijd stilaan die betekenis terug. Meer dan twintig minuten leefde hij alweer ononderbroken in dezelfde tijd en ruimte, waardoor hij stilaan de hoop kreeg dat hij de draad van zijn leven opnieuw kon oppikken.

In het gezelschap van korpschef Verbaanderd, hoofdinspecteur Vandenbrande en hoofdinspecteur Ceulemans zat Marinus aan de grote, ovale tafel in de raadzaal van het gemeentehuis. Het deed deugd om opnieuw de teugels in handen te nemen, al bleef de gedachte knagen dat de tijd alles weer in de war kon sturen.

De burgemeester zag bij de drie politiemannen een grote dosis nervositeit. Ogen flitsten in hun oogkassen, vingers trommelden op de tafel...

Marinus vond het merkwaardig dat niet de korpschef maar wel Ceulemans aan het hoofdeinde van de tafel zat, waardoor de hoofdinspecteur meer autoriteit uitstraalde dan zijn overste. Ook zijn houding was zelfzekerder, fierder dan die van de korpschef. In de ogen van Verbaanderd en van Vandenbrande bespeurde Marinus angst en twijfel en hoewel die twee emoties ook Ceulemans parten speelden, sprak er uit zijn blik ook een zekere gedecideerdheid.

Marinus richtte zich tot de korpschef. 'Over hoeveel aangiftes van vermiste personen spreken we ondertussen?'

'42', antwoordde Ceulemans. 'En onze agenten zijn nog druk bezig met noteren.'

Verbaanderd was duidelijk opgelucht dat Ceulemans het woord had genomen.

'Hoe is dit mogelijk?'

Op deze vraag was nog geen antwoord te formuleren en Ceulemans gaf dat dan ook toe. 'Het is tasten in het duister. We hebben nog niet veel onderzoek kunnen verrichten naar de verdwenen personen, er zijn zoveel aangiftes dat we die eerst administratief moeten verwerken.'

'Bel dan enkele ambtenaren van de dienst bevolking en informatie op. Dan kunnen zij de aanmeldingen noteren en kunnen de agenten met het opsporingswerk starten', stelde de burgemeester voor.

'Die weten niet welke vragen ze moeten stellen', ging Vandenbrande daar tegenin. 'Die zijn daar niet voor opgeleid.'

'Uitzonderlijke situaties vergen uitzonderlijke maatregelen, nietwaar.'

De korpschef en de twee hoofdinspecteurs knikten. Ze konden de burgemeester geen ongelijk geven.

'Zijn er overeenkomsten tussen de aangiftes?' vroeg de burgemeester.

Het was weer Ceulemans die hem van antwoord diende. 'Heel wat burgers komen met het verhaal dat ze hun geliefde, partner of vriend in het niets hebben zien oplossen. De meesten hebben het daarbij ook over een donkerblauwe mist.'

'Een donkerblauwe mist?' herhaalde Marinus terwijl hij dacht aan de blauwe ogen van zijn zoon en van de collega's met wie hij had vergaderd.

Hoofdinspecteur Vandenbrande nam het woord. 'We zitten hier niet in een sciencefictionfilm, beste heren. Verhalen over donkerblauwe mist en mensen die opgaan in rook, moeten we buiten beschouwing laten. We moeten doordringen tot de kern van de zaak.'

Ceulemans haakte hier meteen op in. 'Wat is volgens jou dan de kern van de zaak, Vandenbrande?'

Er viel een diepe stilte aan de vergadertafel. Vandenbrande wist niet hoe hij moest reageren en de korpschef had duidelijk geen zin om iets te zeggen.

'Hoe zit het met de Federale? Heb je hun hulp al ingeroepen?' vroeg de burgemeester.

Ceulemans zocht de juiste woorden om de burgemeester uit te leggen hoe de vork aan de steel zat. 'Bij de verdwijning van mevrouw Vincke beloofden ze hulp te bieden, maar we hebben niets meer van hen gehoord en van de andere verdwijningszaken hebben we hen nog niet op de hoogte kunnen brengen.'

De burgemeester staarde Ceulemans grimmig aan. 'Waarom niet?'

'We kunnen hen niet bereiken.'

De burgemeester blikte nu naar korpschef Verbaanderd in de hoop dat die wel iets zinnigs zou uitkramen. 'Waar heeft hij het over? De Federale kan je toch altijd bereiken?'

Verbaanderd haalde zijn schouders op en blies lucht tussen zijn gesloten lippen. Aan dat gebaar had de burgemeester geen moer en daarom was het opnieuw Ceulemans die antwoordde: 'We begrijpen er ook niets van, burgemeester, maar het is eigenlijk zo dat het niet alleen om de Federale Politie gaat. We kunnen buiten Laarbeke niemand bereiken.'

'Wat probeer je nou te zeggen?' vroeg de burgemeester.

'Wat ik probeer te zeggen, burgemeester, is dat alle lijnen naar de buitenwereld dood zijn.'

De burgemeester bleef verbijsterd zitten en keek de wetsdienaars één voor één aan. Ceulemans was de enige die hem zonder verpinken in de ogen durfde kijken, de andere twee sloegen al vlug de ogen neer en keken naar hun vingers die op de tafel roffelden.

Na meer dan een minuut stilte vond de burgemeester zijn stem terug en probeerde te recapituleren. 'Als ik het goed begrijp, komen jullie me dus vertellen dat we op geen enkele manier contact kunnen opnemen met de buitenwereld en...'

Ceulemans was stoutmoedig genoeg om de burgemeester te onderbreken. 'We vermoeden ook dat niemand buiten Laarbeke nog contact kan opnemen met iemand binnen onze gemeente.'

'Als ze geen contact met ons kunnen krijgen, moeten ze ons vroeg of laat toch komen opzoeken.'

'Laat ons hopen.'

'Dit is te gek om los te lopen', zuchtte Marinus terwijl één woord van Vandenbrande in zijn hoofd bleef rondspoken. *Sciencefiction.*

Marinus veerde op van zijn stoel en liep naar de achterwand van de raadzaal waar het audiovisuele bedieningspaneel stond. Hij klapte het dubbele houten luik open en schakelde de televisie aan. Ruis. Koortsachtig zapte de burgemeester naar alle kanalen. Enkel ruis.

Hij legde zijn handen op zijn hoofd, een gebaar van ontreddering en verbazing. 'Dit is onmogelijk! Hoelang weten jullie al dat het contact met de buitenwereld verbroken is?'

'Slechts enkele minuten.'

De burgemeester zuchtte. 'Ik denk dat we wel kunnen stellen dat fase 1 van het rampenplan nu van kracht is. Al zullen we er niet veel aan hebben, want het gaat uit van communicatie met diverse instanties van buitenaf maar die kunnen we niet eens bereiken. In het rampenplan staan de grote refter van de gemeenteschool en de sporthal als verzamelplaatsen aangegeven. Korpschef, geef de agenten onmiddellijk de opdracht om die plaatsen in gereedheid te brengen.'

'Ik zie niet goed in waarom er verzamelpl...'

'Nu, korpschef!'

'Goed, burgemeester.'

'Iemand enig idee wat we verder kunnen doen?' vroeg de burgemeester terwijl hij zijn blik liet ronddwalen over de aanwezigen.

Niemand kreeg tijd om de vraag te beantwoorden, want de zware houten deur zwaaide open en agent Sanders stormde de raadzaal binnen.

'Sorry dat ik de vergadering onderbreek, burgemeester, maar er is iets vreemds aan de hand.'

De vier mannen staarden Sanders afwachtend aan, peinzend hoe de situatie nog vreemder kon worden.

'Een... een donkerblauw mistgordijn drijft op onze gemeente af. Sommige burgers beweren dat... dat dit de mist is die de inwoners opslokt.'

8

Gephyrofobie. Angst voor bruggen. Ze had het opgezocht op internet en kende nu wel de naam voor haar fobie, maar haar angst was er op weg naar het Erasmusziekenhuis in Brussel niet minder om. Nog een halve kilometer. Hoe meer ze dacht aan de nakende confrontatie met de brug, hoe meer de angst haar besloop. Haar kledij was al snel doordrenkt met zweet. Het gehuil van Ayla, dat de ganse tijd vanaf de achterbank klonk, was niet langer een last maar een welkome afleiding.

Ze moesten de brug over die Kathleen had moeten nemen om naar de klant in Nederland te rijden. Een brug die ze al duizenden keren was overgestoken, maar die nu om een onverklaarbare reden een immens obstakel voor haar was. Haar nagels groeven in het leder van de passagierszetel. De spieren in haar kuiten, dijen en armen spanden zich op en lagen als kabels onder haar huid.

Aaron kletste aan één stuk door over koetjes en kalfjes om Kathleen af te leiden van haar angst, maar zijn gebrabbel drong niet eens tot haar door. De laatste twintig meter vóór de brug hoorde ze zelfs Ayla's gehuil niet meer. Er klonk alleen een vreemd, onverstaanbaar gefluister, alsof duizenden stemmen in haar hoofd door elkaar fezelden.

Kathleen voelde dat de stemmen afkomstig waren van de brug.

Een brug kan verdomme niet spreken! schreeuwde ze tegen zichzelf in haar hoofd, maar het kon haar niet overtuigen. Woorden of zinnen vielen niet te onderscheiden in het gefluister, maar het klonk onheilspellend, dreigend. Ze besefte dat de brug haar zou doden als ze er probeerde over te rijden.

Nog tien meter. De lange verkeersbrug strekte zich als een vieze, stinkende, gekromde tong van een afgrijselijk monster voor haar uit. De constructie was van staal, maar voor Kathleen bestond de brug uit een bloederige, kleverige vleesmassa en ze was bang dat de autobanden zouden vastkleven aan de monstertong. Wat als daarna de nu nog onzichtbare mond van het gedrocht zou dichtklappen en haar botten met zijn snijdende tanden zou kraken om haar vermaalde lichaam vervolgens op te slokken?

Er is geen monster! De brug is geen tong! Het is een gewone brug! Een brug waar ik al zovele keren ben over gereden!

Maar haar brein wilde de realiteit niet onder ogen zien en seinde naar haar ogen het beeld van de monsterlijke tong.

Een verschroeiende hitte joeg door daar zenuwbanen. Ze was bang dat het innerlijke vuur haar zou verteren als ze niet vlug omkeerden. Ze liet een ijselijke gil. Met haar armen sloeg ze wild om zich heen en tot haar verbazing slaagde ze erin luidkeels 'stop!' te schreeuwen, maar Aaron reed vastberaden door, zoals ze hem had gevraagd. Nu ze de brug tot op een meter genaderd waren, zag Kathleen haar fout in. Ze had Aaron niet mogen vragen de brug over te steken, wat er ook gebeurde. Ze besefte nu dat als Aaron de auto niet onmiddellijk stopte, ze hem zou moeten stoppen, ook al betekende dit dat ze hem moest vermoorden. Ze wilde niet in het keelgat van het gedrocht verdwijnen.

'Stoooooooop!' gilde ze opnieuw toen ze de brug opreden.

Aarons voet duwde het gaspedaal nog een beetje dieper in en zonder dat Kathleen het kon verhelpen, grepen haar handen naar de keel van haar echtgenoot. Haar bezwete, gloeiend-hete handen knepen Aarons keel dicht en haar duim drukte met verpletterende kracht op zijn adamsappel. Tranen schoten in Aarons ogen. Hij hapte naar adem en sloeg met de rug van zijn hand hard in Kathleens gezicht, maar die leek niets te voelen. Het was alsof ze in trance was en haar handelingen gestuurd werden door een vreemd wezen dat zich in haar brein had genesteld.

Met zijn rechterhand probeerde Aaron Kathleen van zich af te duwen terwijl hij met zijn linkerhand het stuur omknelde. Hun wagen zwalpte over de weg. Als er nu een tegenligger kwam…

Kathleen loste haar greep niet en zwarte vlekken doemden op in Aarons gezichtsveld. Hij had een acuut gebrek aan zuurstof en gebruikte nu ook zijn linkerhand om Kathleen van zich af te duwen. Het stuur draaide lichtjes naar links en de auto stevende in volle vaart op de reling van de brug af. Aaron wilde op de rem duwen, maar zijn voet kwam neer op het gaspedaal en de auto schoot met een ruk vooruit. In normale omstandigheden was Aaron veel sterker dan zijn vrouw, nu leek ze wel bezeten door één of andere bovenaardse kracht.

Net voordat de auto tegen de reling klapte, boorden zijn nagels zich in de polsen van Kathleen en slaagde hij erin haar van zich af te duwen. Vliegensvlug gooide hij het stuur om. De zijkant van de auto schuurde tegen de reling van het stalen gevaarte. Het knarsende geluid van metaal op metaal weerklonk, een regen van vonken spatte tegen de ruiten, maar Aaron slaagde erin de auto op de weg te houden.

Als een furie gooide Kathleen zich opnieuw op Aaron, al werd ze in haar bewegingen beperkt door de autogordel die om haar lichaam spande. Met gebalde vuisten sloeg ze waar ze haar man ook maar kon raken. Aaron moest bijna overgeven toen een vuist volop in zijn maag terechtkwam. Kathleen bleef schreeuwen en stampen als een waanzinnige tot ze het einde van de brug bereikten. Dan zakte ze krachteloos terug in haar autozetel. Haar spieren ontspanden zich en ze bleef uitgeput zitten. Haar haren kleefden tegen haar bezwete voorhoofd, haar gezicht was vuurrood en in haar vochtige oogbollen waren tientallen adertjes gesprongen.

Kathleen tastte naar haar bloedende polsen en keek Aaron verbaasd aan, alsof ze ontwaakte uit een nachtmerrie. 'Wat… wat is er gebeurd?'

Aaron bracht de auto tot stilstand en betastte zijn pijnlijke keel. 'Je leek wel gek geworden!'

Ze keek verdwaasd door de achterruit.

'Zijn we over de brug?'

'Ja, op het nippertje. Je viel mij verdomme aan!'

'Het… het spijt me…ik…'

Meer kon ze niet uitbrengen. Aaron kon in haar ogen lezen dat ze zich echt niets van het voorval herinnerde. Hij wilde haar zeggen hoe ze zich had gedragen op de brug toen hij opmerkte dat het stil was in de auto. Hij blikte over zijn schouder naar de maxi-cosi waarin Ayla lag te glimlachen.

'Ayla is stil', merkte Kathleen op datzelfde moment op.

'Ze lacht', bracht Aaron verwonderd uit. Hij draaide zich weer om en zag door de voorruit een mistgordijn, dat als een ondoordringbare muur enkele meters voor hun auto hing. De mist had een zonderlinge kleur. Donkerblauw.

Kathleen tuurde naar de dikke, ondoorzichtige brij. 'Gisteren heb ik aan de horizon ook zo'n diepblauwe mist gezien.'

'Vast gewoon een hardnekkige mistbank', wierp Aaron op.

'Dit lijkt mij geen gewone mist, Aaron. Mist is grijs.'

Aaron startte de auto. 'Grijs of niet grijs. We moeten erdoorheen', bracht Aaron uit op luchtige toon, al voelde hij zich niet zo onbezorgd als hij deed uitschijnen.

Het was alsof ze een vreemde dimensie inreden. De mist was zó hardnekkig dat ze geen hand voor ogen zagen. Aaron knipte zijn lichten aan en zette zijn mistlamp op, maar de zwartblauwe mist slorpte de lichtbundels op.

Stapvoets reed Aaron verder. Hij probeerde op de rechterhelft van de weg te blijven, maar had er geen idee van of hij daarin slaagde, want hij kon de witte lijnen op het wegdek niet bespeuren, ook het wegdek niet. Ook van de omgeving was niets waar te nemen. Alles was verhuld door die zonderlinge blauwe waas. Verkeerslichten, lantaarnpalen, bomen, verkeersborden, huizen waren onzichtbaar. Ook andere weggebruikers waren nergens te bespeuren. Het leek of alleen zijzelf, hun auto en het blauw nog bestonden en de rest van het universum niet langer daar was.

'Hoe weten we nu welke richting we uit moeten?' vroeg Kathleen.

'Straks rijden we in een beek.'

Aaron antwoordde niet, maar reed heel stilletjes rechtdoor in de hoop dat de mistbank toch ergens zou ophouden. Ook hij was bang om ergens tegen te botsen of in te rijden, maar gewoon blijven staan was geen oplossing. Daarom duwde hij met zijn voet zachtjes op het gaspedaal. Ze reden nog geen tien kilometer per uur.

Er kwam maar geen einde aan het stroperige blauw. Toen Aaron na een hele tijd van ronddolen wilde uitstappen om na te gaan waar ze waren beland, zag hij vóór zich de contouren van een bouwwerk.

'Eindelijk', zuchtte hij. 'Misschien komen we toch nog op…'

…*tijd*, wilde hij zeggen, maar het woord bleef ergens achterin zijn keelholte steken toen hij zag welk bouwwerk er vóór hen opdoemde. Het was de brug die ze daarstraks hadden overgestoken. Aaron blikte in zijn achteruitkijkspiegel waarin hij de mistbank zag.

'Dit kan niet!' ontsnapte het uit Kathleens mond. 'We zijn altijd rechtdoor gereden. Hoe kunnen we dan terug hier staan?'

Haar stem tintelde van de angst. Angst voor de situatie waarin ze zich bevonden, maar ook voor de brug.

'Ik wil er niet over!' schreeuwde ze.

'Dat hoeft ook niet, nu toch nog niet. We moeten eerst naar Brussel.'

Aaron blikte naar Ayla. Die probeerde haar hoofdje op te tillen om een glimp op te vangen van de nevel waarin ze hadden gereden. Blijkbaar was ze erdoor gefascineerd en was dit het eerste in al die dagen dat haar gelukkig kon maken.

'We zijn te laat, Aaron. Het is al vijf over zes.'

Aaron keek eerst naar de klok op het dashboard en daarna naar zijn polshorloge.

'We zijn om halfzes vertrokken. We zijn toch nog geen halfuur onderweg?'

Kathleen schudde vertwijfeld het hoofd. 'Hoogstens een kwartier.' Ze nam haar gsm uit haar handtas en zocht in het menu naar het nummer van dokter Vanhove. 'Ik vraag hem of we wat later mogen komen.' Ze probeerde hem op te bellen maar de lijn was dood.

'Ik krijg geen verbinding. Wat nu?' vroeg Kathleen.

'We proberen een tweede keer door die mist te geraken. Hopelijk is Vanhove nog niet weg.'

Hoewel Kathleen het gevaarlijk vond in de mist rond te rijden, pruttelde ze niet tegen. Ze verkoos het boven een confrontatie met de stalen constructie.

Opnieuw reden ze de mist in. Na een tijdje stonden ze opnieuw aan het begin van de brug. Als ze op hun klokken mochten afgaan, was er twintig minuten verstreken, maar zolang kon het onmogelijk geweest zijn.

'Er is iets mis, Aaron. Wat hier gebeurt, is onmogelijk.'

Aaron ging er niet op in, al besefte híj maar al te goed dat zijn vrouw gelijk had. 'We gaan best terug naar huis en verzetten de afspraak.'

'De brug', zuchtte Kathleen toen ze besefte dat ze er nu al opnieuw over moesten.

'Daarstraks ben je er ook over geraakt', moedigde Aaron haar aan.

Kathleen schudde het hoofd. 'Te gevaarlijk. Wat als ik je weer aanval?'

'Wat stel je dan voor?'

'Bind me vast op de achterbank!'

'Wat?'

'Ik meen het, Aaron. God weet wat ik je deze keer misschien aandoe.'

Aaron twijfelde nog even, maar ging toen in op haar voorstel.

'Goed. Als dat echt is wat je wilt.'

Kathleen stapte uit en liep naar de koffer. Ze opende die en haalde er twee touwen uit, waarna ze op de achterbank ging zitten en de touwen aan haar echtgenoot gaf.

'Bind hiermee mijn handen en armen vast.'

'Is dat nou echt nodig?'

Kathleen antwoordde niet, maar nam helemaal links plaats, zette de maxi-cosi van Ayla uiterst rechts en gespte zich vast.

'Goed dan', besloot Aaron waarna hij uitstapte en deed wat Kathleen hem had gevraagd.

Kathleen beet haar tanden hard op elkaar toen Aaron over de brug raasde. Angst golfde door haar lichaam en maakte haar misselijk. Ze kotste op de zetels en schreeuwde het uit. Pas toen ze de brug over waren, stopte ze met tieren. En dan begon Ayla opnieuw onbedaard te huilen.

9

Korpschef Verbaanderd en burgemeester Marinus zaten op de achterbank van de politiewagen en lieten zich door hoofdinspecteur Ceulemans door de straten voeren, oostwaarts, de richting van de autosnelweg uit, omdat volgens de berichten de mistbank daar het hardnekkigst was.

Hoofdinspecteur Vandenbrande had zich kandidaat gesteld om in Laarbeke te blijven omdat volgens hem iemand daar de situatie onder controle moest houden. Ceulemans had de angst in de ogen van Vandenbrande opgemerkt en besefte dat die angst de ware reden was waarom de hoofdinspecteur hen niet vergezelde. Ceulemans kon Vandenbrande heel goed begrijpen. Ook hij werd geplaagd door een overweldigende angst. Nog nooit was Ceulemans op zo'n vreemde missie gegaan.

Vreemd was niet eens een passend woord. *Krankzinnig* kwam al iets meer in de buurt. Mensen verdwenen niet zomaar in de mist! Toch kon Ceulemans de vreemde dingen die de laatste dagen gebeurd waren, niet zomaar negeren. Hoe konden er op korte tijd zoveel mensen verdwijnen? En hoe was het mogelijk dat van het ene op het andere moment de communicatie tussen Laarbeke en de rest van de wereld uitviel terwijl alle apparatuur nog werkte? Dat was niet zomaar te verklaren. Het woord *bovennatuurlijk* spookte enkele seconden door zijn hoofd, maar dat woord probeerde hij uit te bannen, want het was iets waar hij zijn hele leven nog niet in had geloofd en hij wilde er nu niet mee beginnen. Er moest een rationele verklaring zijn, maar welke?

Marinus voelde zich onwel. Als burgemeester wist hij normaal van aanpakken, maar nu was hij radeloos. Van zodra hij de zwartblauwe mist aan de horizon bemerkte, was hij ervan overtuigd dat dit geen gewone nevel was. De blauwe waas die ze naderden, moest iets te maken hebben met de tijd die zijn continuïteit had verloren. Dat voelde hij. Bovendien kon de kleur ervan niet toevallig identiek zijn aan de kleur van de irissen die hij had gezien bij zijn zoon en bij de collega's tijdens de vergadering.

Hoewel de gebeurtenissen van de laatste dagen onverklaarbaar leken, begon er zich in zijn hoofd een theorie te vormen en hoewel ze onmogelijk en krankzinnig leek, was hij er haast van overtuigd dat hij het bij het rechte eind had. Marinus was altijd een nuchter iemand geweest, maar hij was ook iemand die wist wanneer het tijd was om principes en gedachten overboord te gooien en een andere weg in te slaan. In de politiek was dit een onmisbare eigenschap gebleken, want maar liefst drie keer was hij van partij en dus ook van gedachtegoed veranderd om uiteindelijk in de partij te belanden die hem de burgemeesterssjerp gunde.

Marinus was slim genoeg om niet zomaar te koop te lopen met zijn theorie. Als de tijd rijp was, zou hij ermee voor de dag komen.

Toen ze de blauwe waas tot op een honderdtal meter waren genaderd, wees de korpschef voor zich uit. 'Kijk! Daar!' Zijn wijsvinger was gericht naar de rode Audi die uit de mist kwam gereden. De auto reed de brug over en werd aan de kant van de weg geparkeerd. Een man stapte uit en liep op de politiewagen toe. Ceulemans remde.

Marinus herkende de man meteen. 'Dat is iemand die op de technische dienst werkt. Aaron Verwilghe.'

Ceulemans drukte op een knop en zijn raampje schoof automatisch naar beneden. Aarons lijkbleke gezicht hing voor de opening.

'Alles oké met u, meneer?' vroeg Ceulemans.

Aaron struikelde bijna over zijn woorden. 'We moeten naar Brussel maar we geraken niet door de mist, agent. Hoewel we rechtdoor bleven rijden, kwamen we telkens weer bij de brug uit. Ik begrijp er niets van.'

'Heb je nog andere mensen gezien in de mist?'

'Niemand, agent. Je ziet er geen steek. Er is iets totaal mis, agent. Ik begrijp er niets van.'

'Wij zijn hier om de situatie te onderzoeken, meneer, maar u gaat best gewoon naar huis. Wat u ook doet, keer niet terug de mist in.'

'Goed, bedankt, agent.' Aaron blikte nu voor het eerst naar de passagiersstoel waar hij Marinus zag zitten. 'Dag burgemeester.' Aaron keerde niet terug naar de auto maar bleef aarzelend staan. 'Weet u wat er aan de hand is?'

Marinus schudde het hoofd. 'Zoals Ceulemans al zei, gaan we het onderzoeken. En er is niet alleen de mist, Aaron. Momenteel blijkt ook alle communicatie met de buitenwereld onmogelijk. Telefoon, televisie, Internet. Alles ligt plat.'

Aaron luisterde naar de uitleg van de burgemeester maar was té verbaasd om erop te reageren.

'Als je liever niet naar huis gaat, kan je ook terecht op één van de verzamelplaatsen', ging de burgemeester verder. 'De grote refter van de gemeenteschool en de sporthal fungeren als opvangcentra.'

'Ik hoop dat jullie vlug ontdekken wat er mis is', zei Aaron.

'Hou je paraat, Aaron. Het zou me niet verbazen indien we de technische dienst nog nodig hebben de volgende dagen.'

'Tuurlijk, burgemeester.'

'En wat doen wij nu?' vroeg Ceulemans toen Aaron van hen wegliep.

De burgemeester wees naar de donkerblauwe mist. 'Er is maar één manier om te weten te komen wat dát verdomme is.'

Ceulemans schakelde en duwde het gaspedaal in.

"I'm here to tear down everything around you,
and do you know what I'm going to replace it with?
Something new: God, the world of God!
So take your bread and give it to the poor,
what difference does it matter what you own,
you have gold and silver, it's going to rot,
and that rot is going to eat away your heart, all of you!
There will be a flood and there will be a fire,
everything will be destroyed
but there will be a new ark, riding on that fire,
and I hold the keys, and I open the door,
and I decide who goes in and who doesn't!"

CJ Bolland "The Prophet"
(from the album 'The Analogue Theatre' – © 1996)

DEEL II

ISOLATIE

zaterdag 19 juni (dag 6)

1

Zuster Rita had een boek genomen omdat ze de slaap niet kon vatten. Meestal las ze non-fictiewerken over roemrijke figuren die hun stempel hadden gedrukt op de geschiedenis of biografieën over hedendaagse sportpersoonlijkheden. Dat laatste maakte haar trouwens zeer geliefd bij haar leerlingen omdat velen van hen het sportnieuws op de voet volgden.

Tegen haar gewoonte in was ze nu al enkele weken verdiept in een roman, *De Da Vinci Code* van Dan Brown. Een uitermate boeiende reli-thriller, al moest de historische informatie met een dikke korrel zout genomen worden.

Andere avonden begonnen de ogen van zuster Rita na een uurtje lezen te prikken en werd ze overmand door vermoeidheid, maar nu lag ze al drie uur wakker. *De Da Vinci Code* mocht dan interessante lectuur zijn, het was niet de voornaamste reden waarom ze niet in slaap viel.

De belangrijkste reden was het nachtblauw.

Donderdagavond had ze de nachtblauwe mist voor het eerst opgemerkt en vrijdag had ze de horizon meer dan eens afgespeurd, op zoek naar een donkerblauwe mistsluier of nevel, maar de lucht was op elk moment helder gebleven.

Ook voordat ze naar bed ging, was de sterrenhemel volkomen klaar geweest, maar nu ze in bed lag, *voelde* ze de nabijheid van het nachtblauw. Ze wist gewoon dat de mist er was. Nou ja, 'mist' was niet het juiste woord. Het nachtblauw was een entiteit met een bewustzijn, een wezen gezonden door Lucifer. Dat geloofde zuster Rita met hart en ziel, wat toch wel merkwaardig was aangezien ze tot enkele dagen geleden niet in het bestaan van de duivel of het kwaad had geloofd. Na al wat er gebeurd was, bleef er haar geen andere keuze dan te geloven in de hel.

De vraag was niet langer of de duivel bestond, maar wel waarom hij hier was. Wat stond er te gebeuren? Wat voerde hij in het schild?

Zuster Rita's hart klopte tot diep in haar maag toen ze uit bed gleed. Ze schuifelde naar het raam en schoof het gordijn open. Zoals ze had verwacht, was het nachtblauw aanwezig. Toch deinsde ze een stap achteruit. De donkerblauwe nevel kwam dreigend en agressief over. Het mistgordijn hing al tot halverwege de achtertuin van het klooster. De uit steen gehouwen afbeelding van moeder Maria die de kleine Jezus teder in haar armen wiegde, werd in tweeën gedeeld. Het gezicht van moeder Maria en het bovenste deel van haar lichaam werden opgeslokt door de mist, alsof het zich in een andere dimensie bevond, terwijl de kleine Jezus nog grotendeels zichtbaar was.

Het massief van blauw liet niet de minste gloed door van de lichten van de omringende gebouwen en straatlampen. Het slokte alles op als een hongerig beest. De wereld hield op te bestaan waar de mistbank begon.

Uit de donkere nevelsluier dook opeens een nachtblauwe schaduw op haar af, die zich in haar brein nestelde. Het visioen dat tot zuster Rita kwam, was zó overweldigend dat ze niet meteen besefte wat haar overkwam. Rita's armen maaiden door de lucht, als om de onzichtbare schim van zich af te slaan. Ze viel achterover en stootte haar hoofd tegen de ijzeren rand van haar bed.

De intense, schreeuwende pijn was niets, vergeleken met de kwellende beelden die de schim in haar hersens verwekte.

Brandende lichamen van mannen, vrouwen en kinderen. Mensen die het uitschreeuwden van de pijn en smeekten om verlossing en om hun eigen dood.

De kloosterzuster keek niet als een toeschouwer naar de driedimensionale projecties. Het was alsof ze er middenin stond. Ze rook de penetrante, misselijkmakende stank van gerookt mensenvlees. Hoorde het getier en geroep van de wanhopige mensen en het knetteren van het hellevuur. Voelde de brandende hitte van de duistere vlammen. Proefde de as op haar tong.

De beelden werden samen met de schim uit haar hoofd weggerukt en haar ogen schoten wijdopen. Het visioen liet niet alleen een overweldigende indruk op haar na omwille van het hoge realiteitsgehalte maar ook omdat ze besefte dat het niet lang meer zou duren voor de beelden zouden uitkomen.

Tientallen, honderden, duizenden of misschien wel miljoenen mensen zouden sterven en zuster Rita besefte waarom: Lucifer zou de hel op aarde loslaten om de mensheid uit te roeien.

De Apocalyps sloop elke seconde dichterbij en er was niemand om de mens ervoor te behoeden. Niemand kon de aarde redden uit de klauwen van de duivel, ook zijzelf niet, want tussen de krijsende menigte had ze een blik op zichzelf kunnen werpen, brandend in het eeuwige vuur, knisperende vlammen die likten aan haar lichaam en haar kwelden tot ze dood op de grond neerzeeg.

Waarom kreeg zij die visioenen? Waarom speelde Satan een verdorven spel met haar?

Liet hij haar beelden zien opdat ze zou denken dat ze bestemd was om een Groter Doel te dienen, al was ze eigenlijk net zoals alle andere mensen een speelbal die hij kon weggooien wanneer hij dat wilde?

Als dat waar was, waar was God dan? Hij moest de duivel toch kunnen stoppen!

Zuster Rita wist het niet, maar er leek maar één uitweg. Bidden. Bidden voor de verlossing van de mensheid.

De vraag was of God de mensen verlossing zou schenken na al wat ze elkaar in de loop van de geschiedenis hadden aangedaan.

2

Vrijdagavond om iets voor zeven uur reed Ceulemans samen met de burgemeester en de korpschef de hardnekkige mist in. Alle drie waren ze doodsbang, al waren ze te stoer om dat toe te geven.

Ceulemans besefte dat het niet al te slim was om de blauwe waas in te rijden omdat ze niet wisten of het wel om mist ging. Mogelijk waren het gassen of gevaarlijke dampen afkomstig van een bedrijf.

Maar was er een alternatief? Wat moesten ze dan wel ondernemen?

In Laarbeke blijven om te wachten tot de mist optrok, was voor hem geen optie. Daarvoor voelde hij zich veel te onrustig.

Aaron en zijn gezin waren het levende bewijs dat de mist niet onmiddellijk levensbedreigend was, al was het uiteraard mogelijk dat er later symptomen zouden opduiken. Ceulemans twijfelde daaraan omdat er – voor zover hij wist - in heel Laarbeke nog geen enkele melding van een ziekte of aandoening was die met de mist verband hield. Wel werd de mist door heel wat mensen als de oorzaak van de verdwijningen aanzien, al was die link Ceulemans geheel onduidelijk. De hoofdinspecteur boog over zijn stuur en tuurde reikhalzend door de voorruit. Zijn neus plakte bijna tegen het glas, maar hij kon niets zien. Er was alleen dat overdonderende donkerblauw. Het was het enige waaruit de wereld nog leek te bestaan. Het verzwolg alles om hen heen. Ceulemans had de lichten van de auto opgezet, maar hij doofde ze weer omdat ze niet door het blauw konden dringen.

Aan een slakkentempo vorderden ze.

Ceulemans had altijd rechtdoor gereden in de hoop op de weg te blijven, maar omdat hij niets van het wegdek kon zien, nam hij de proef op de som en draaide zijn stuur bruusk naar rechts.

Ze botsten niet tegen een paal, een voorgevel of een omheining en reden ook niet in een greppel of een beek. Het was alsof er geen enkele hindernis meer bestond. De mist had alles opgeslokt en er bleef alleen een kaal, vlak landschap van blauw over.

Een mist kon soms zó hardnekkig zijn dat hij de wereld om je heen verborgen hield, maar in dit geval had de nevel de omgeving doen *verdwijnen*.

'Er is verdomme niets meer', sprak de burgemeester.

'Als we blijven rijden, moeten we toch ooit eens in Brussel of in een buurgemeente geraken', wierp Ceulemans op, al twijfelde hij aan zijn eigen woorden.

'Als Brussel nog bestaat', merkte de burgemeester op.

Het verdwijnen van de wereld sloot volkomen aan bij Marinus' vermoeden. Toch durfde hij zijn theorie nog steeds aan niemand vertellen omdat die te gek was om los te lopen. Gaandeweg was het vermoeden in zijn hoofd opgeborreld en nu wilde het hem niet meer loslaten. Maar als hij het hardop uitsprak, zou hij zich niet alleen belachelijk maken maar ook aan zijn eigen verstand gaan twijfelen. Er was een groot verschil tussen iets denken en iets doen. Gedachten waren ongevaarlijk, ze zaten gevangen in een beenderige schedel. Het was pas als je naar je gedachten handelde of ze hardop uitsprak dat ze een eigen leven gingen leiden.

Wie zou hem geloven als hij begon over buitenaardse wezens en extragalactische invasies? Niemand. Hij wist niet eens of hij zichzelf zou kunnen overtuigen als hij de woorden uitsprak. Waarschijnlijk niet. Maar in zijn hoofd leek de theorie op een of andere bizarre manier wel aannemelijk.

Marinus' gedachten zwierven naar een buitenaardse entiteit die naar de aarde was gekomen om de mensheid uit te roeien en een nieuwe wereld te stichten. Stilaan zou het schepsel alle delen van de wereld inpalmen, op een haast geruisloze manier. Geen gevechten met hoogtechnologische wapens, geen legers die zich konden opmaken voor een apocalyptisch gevecht, enkel een mist die de mensheid verzwolg en communicatie onmogelijk maakte.

Nee, dat waren geen gedachten om luidkeels te verkondigen.

'We rijden al meer dan een kwartier rond en we zijn nog niets wijzer', verbrak de korpschef de stilte.

De burgemeester blikte naar zijn uurwerk. 'Ik weet niet hoe laat het bij jullie is, maar bij mij is het acht over twaalf.'

Ceulemans keek verbaasd naar het dashboard en zag dat de burgemeester gelijk had. 'We zijn absoluut nog geen vijf uur onderweg. Maximum een uurtje. Dit is niet mogelijk!'

De korpschef verhief zijn stem. 'Alsof dat het enige is dat onmogelijk is!'

Ondanks de omstandigheden voelde Marinus zich deels opgelucht, want dit was het bewijs dat de wetten van de tijd voor niemand meer bestonden. Er was niets mis met hem. Geen Alzheimer. Geen tumor.

'Eigenlijk is het blauw wel mooi', deelde de korpschef plots mee.

Zowel Ceulemans als Marinus blikten verbaasd over hun schouder. De korpschef zat schaapachtig te glimlachen op de achterbank. Hij tuurde door het zijraampje, achteroverleunend, zijn handen in de nek geslagen, alsof hij op een exotisch strand van verwarmende zonnestralen genoot.

'Prachtig blauw', zuchtte hij. 'Nachtblauw.'

Ceulemans en Marinus fronsten de wenkbrauwen naar elkaar en keken weer voor zich uit.

'Nou, dan mag je me toch eens vertellen wat je er zo prachtig aan vindt', vroeg Ceulemans zich af.

Er kwam niet direct een antwoord vanop de achterbank en Ceulemans blikte in zijn achteruitkijkspiegel om oogcontact te zoeken. Hij zag de korpschef niet meteen zitten en draaide zich om.

De achterbank was leeg.

Ceulemans keek onder de bank, alsof de corpulente korpschef met zijn vette pens daaronder zou kunnen wegduiken.

'Wat is er?' vroeg de burgemeester toen hij het melkwitte gezicht van de hoofdinspecteur zag.

'De korpschef...'

'Wat?' De burgemeester draaide het hoofd. 'Waar is hij?'

Ceulemans haalde de schouders op. 'Heb jij een portier horen opengaan?'

De burgemeester schudde lichtjes het hoofd.

De voet van Ceulemans trapte op de rem.

Marinus nam de deurklink vast. 'Ik ga kijken.'

Ceulemans greep de burgemeester vast bij de bovenarm. 'Is dat wel een goed idee?'

'Dat zullen we snel genoeg te weten komen.' De burgemeester opende het portier.

'Wacht! Ik ga wel', stelde Ceulemans voor.

'Soms moet een burgemeester het veldwerk op zich nemen', grijnsde Marinus vreugdeloos.

Ceulemans pakte een zaklamp uit het handschoenenkastje en reikte die de burgemeester aan. Hij wist niet of het veel zou helpen, maar het kon in elk geval geen kwaad. Marinus nam de lamp dankbaar aan en stapte de mist in. Ogenblikkelijk werd hij opgeslokt door de dikke brij.

Na vijf minuten was de burgemeester nog niet terug en Ceulemans vroeg zich af of hij ook moest uitstappen of beter bleef zitten. Op het ogenblik dat hij aanstalten maakte om de burgemeester achterna te gaan, tikten de knokkels van een behaarde hand op zijn raampje.

Ceulemans' hart maakte een sprong, maar hij ontspande toen het gezicht van de burgemeester voor het raampje opdook. Ceulemans liet het raam zoemend omlaagkomen.

'Ik zie geen hand voor mijn ogen', zei de burgemeester. 'Het is onbegonnen werk om de korpschef te zoeken.'

Voor het raampje weer helemaal omhoog was, had de burgemeester alweer plaatsgenomen op de passagiersstoel.

Ceulemans reed niet verder, maar bleef net zoals de burgemeester nadenkend door de voorruit turen.

'Wat nu?'

De burgemeester haalde vertwijfeld de schouders op.

3

Onderweg wisselden Ceulemans en Marinus geen woord. Ze probeerden hun gedachten te ordenen. Tevergeefs.

De vraag die hen beiden het meest plaagde, was wat er met de korpschef was gebeurd. Hoe kon iemand ongezien uit een rijdende auto verdwijnen? Had de mist hem ontvoerd? Hoe dan wel?

Toen de digitale klok op het dashboard 00:21 aangaf, bereikten Ceulemans en Marinus niet Brussel of een buurgemeente van Laarbeke, maar wel de brug over de autosnelweg waar ze vertrokken waren.

Ceulemans bracht de politiewagen tot stilstand en liet hem stationair draaien. 'En nu?'

'Er zit niet veel anders op dan terug te keren naar Laarbeke.'

'Je hebt gelijk.'

Ceulemans zuchtte. Hij wist niet meer wat hij van dit alles moest denken en hij had er ook geen idee van wat hij moest doen om goed te doen. Hij was een prima hoofdinspecteur die in elke situatie op de gepaste manier reageerde. Altijd behield hij het overzicht, nam de touwtjes in handen en vertrouwde op zijn instinct. Maar nu voelde hij zich als een drenkeling die ronddobberde op een eindeloze oceaan en al de moeite van de wereld deed om een reddingsboei te zoeken.

Ook de burgemeester was ten einde raad. Wie zou het hoofd wel koel kunnen houden in dergelijke bevreemdende situatie?

'Ik kan hier geen touw aan vastknopen, burgemeester', zuchtte

Ceulemans. 'Zelfs mijn nachtmerries zijn zo bizar niet.'

De burgemeester grijnsde. 'Laat ons hopen dat dit een nachtmerrie is en dat er straks uit mijn wekkerradio een gezellig deuntje weerklinkt.'

Voordat Ceulemans de pook in eerste versnelling zette, polste hij naar de gedachten van de burgemeester.

'Heb jij enig vermoeden wat er gaande is?'

De burgemeester wuifde nonchalant met zijn hand alsof hij naar een vlieg sloeg. 'Ach, ik heb wel een theorie.'

'En die is?'

De burgemeester grijnsde zijn tanden bloot. 'Neem het van mij aan, Ceulemans, mijn theorie wil je liever niet horen.'

De hoofdinspecteur vroeg er niet verder naar en reed stilzwijgend de brug over.

'We moeten zo snel mogelijk een vergadering beleggen om te beslissen wat onze volgende acties zijn', zei de burgemeester.

Ceulemans vond het helemaal geen slecht idee om de koppen eens bij elkaar te steken, en knikte. 'Goed, burgemeester.'

Toen de burgemeester en de hoofdinspecteur Laarbeke binnenreden, zagen ze dat de situatie helemaal was veranderd. Er hing een gejaagde sfeer.

Heel wat inwoners waren uit hun huizen gekomen - de meesten nog in nachtkledij - en stonden overal verspreid in kleine groepjes met elkaar te praten. Ze voerden ernstige, emotionele gesprekken, wat op te maken was uit de wanhopige blikken, de tranen en de brede handgebaren.

Enkele mensen kwamen op de politiewagen afgelopen, maar Ceulemans reed met onverminderde vaart door. Er was geen tijd om vragen te beantwoorden. Ze hadden trouwens niet eens antwoorden.

De angst en de wanhoop waren van de gezichten van de mensen af te lezen. Ceulemans en Marinus konden daar maar al te goed inkomen. Ze waren zelf even bevreesd en radeloos als de andere inwoners. Misschien wel nog meer na wat ze hadden meegemaakt.

Vóór het politiebureau en het gemeentehuis stonden rijen mensen aan te schuiven. Allemaal wilden ze weten wat er aan de hand was. Waar kwam die vreemde, donkerblauwe mist vandaan die Laarbeke omringde? Waar waren hun verdwenen kennissen, vrienden en familieleden?

Ceulemans begreep hun ontreddering, maar hij kon hen niet helpen. Dat deed hem pijn. Hij was niet gewend om weg te hollen voor verantwoordelijkheden, toch niet als het om politiewerk ging. Maar nu was het onbegonnen werk om de menigte te bedaren.

Samen met de burgemeester probeerde hij via de achteringang het gemeentehuis binnen te sluipen, maar een handvol mensen had hen opgemerkt en liep op hen af.

Een jonge kerel met ingevallen wangen en een opvallend scherpe neus pakte de burgemeester vast bij de mouw van zijn jas toen hij zijn sleutel in het sleutelgat stak.

'Waar is mijn broer?' vroeg hij.

'We doen er momenteel alles aan om...'

Verder kwam de burgemeester niet, want de jongeman had plots een mes in de hand en richtte het lemmet op hem. Iedereen week een paar passen achteruit.

'Zeg me wat er aan de hand is! Nu!'

'We houden niets verborgen', gaf Ceulemans bedaard aan in de hoop dat hij die kalmte over kon brengen op de kerel. 'We proberen zelf te begrijpen wat er gaande is. Van zodra we iets meer weten, brengen we iedereen op de hoogte.'

De donkerbruine ogen van de jongeman flitsten in zijn oogkassen en zijn spitse neus snoof luidruchtig een dosis zuurstof op. Hij leek te bepalen of hij de hoofdinspecteur en de burgemeester al dan niet moest vertrouwen. Hij maakte aanstalten om het lemmet in de schouder van de burgemeester te planten, maar draaide zich op het laatste nippertje om en rende de straat uit.

Terwijl de burgemeester met bonkend hart de deur probeerde te openen, richtte Ceulemans zich tot de omstaanders die hem smekend aankeken. 'We weten echt niets', riep hij. 'We roepen het college samen en na de vergadering brengen we iedereen op de hoogte via de lokale radio.'

'Radio?' schreeuwde een oude vrouw in een rose nachtkleed. 'Al mijn radio's zijn kapot. Alleen maar geruis.'

'Op de lokale radio kan je wel nog afstemmen', wierp een man van middelbare leeftijd luidkeels op.

'Klopt', bevestigde Ceulemans. 'Communicatie in Laarbeke is mogelijk, maar naar buiten toe niet.'

'Hoe mijn zoon in Anvers bellen?' vroeg een Marokkaanse of Turkse vrouw die met een Frans accent sprak.

'Dat zal momenteel niet gaan, mevrouw. Maar hoe het komt dat er geen contact mogelijk is met andere steden of gemeenten, weten we nog niet.'

De burgemeester had ondertussen de deur geopend en glipte het gemeentehuis binnen. Ceulemans wilde hem achternalopen, maar zag toen Marissa staan. Ze woonde rechtover hem en uit de korte gesprekken die hij met haar had gevoerd, wist hij dat ze een innemend en vriendelijk iemand was. Tranen blonken in haar ogen en met een verwilderde blik keek ze om zich heen.

Hij kon haar daar niet zomaar laten staan, beende naar haar toe en nam haar even apart. De menigte kwam om hem heen staan, maar daar probeerde hij zich zo weinig mogelijk van aan te trekken.

'Gaat het?'

'Mijn opa... hij... hij is verdwenen', sprak ze met een fragiel stemmetje dat geen greintje zelfzekerheid meer bevatte. 'Ik hoopte dat jullie de situatie zouden kunnen verklaren.'

Ceulemans schudde verontschuldigend het hoofd. 'We doen er alles aan om je grootvader op te sporen, Marissa. We proberen iedereen terug te vinden, maar momenteel weten we echt niet wat er gebeurt.'

Ceulemans kneep even in haar hand alsof dat haar enigszins zou kunnen troosten en liep dan het gemeentehuis binnen. De burgemeester sloot de deur meteen af. Met tegenzin liet de hoofdinspecteur de burgers aan hun lot over.

4

Het beeld van schreeuwende mensen, die verwoed de likkende vlammen van zich afslaan, liet zuster Rita geen seconde met rust. Het tormenteerde haar tot haar schedel op ontploffen stond.

De kloosterzuster ijsbeerde door haar kamer omdat ze niet de innerlijke rust kon vinden om te blijven zitten, staan of liggen. Ze moest iets doen om het naderende onheil af te wenden. Maar wat? In de kerk gaan bidden, was het enige wat in haar opkwam, maar het zou haar verbazen indien de gebeden van een nietige zuster de ramp konden voorkomen.

Een tweede mogelijkheid was de politie in te lichten over haar visioenen. Maar zouden die haar krankzinnige verhaal geloven? Waarschijnlijk niet. En zelfs al kon ze de politie overtuigen, veel zou die niet kunnen ondernemen. Daarvoor was haar visioen te vaag.

Omdat ze niet direct een derde mogelijkheid kon bedenken, besloot ze dat het misschien toch best was om naar de politie te gaan. Ze wist niet of het veel zou opbrengen, maar het was in elk geval beter dan in haar slaapkamer rond te blijven drentelen.

Zuster Rita trok een jas over haar habijt, zette haar hoofdkap op en stapte de donkere, broeierige nachtlucht in.

Toen ze buitenkwam, was ze bang dat het blauw al een groot deel van Laarbeke zou ingepalmd hebben, maar dat was niet het geval. Het nachtblauwe mistgordijn sloop wel naderbij en zou binnen de kortste keren Laarbeke helemaal in zijn greep krijgen.

Ondanks het nachtelijke uur was het heel rumoerig op straat. Mensen stonden koortsachtig in groepjes met elkaar te discussiëren, zwierven eenzaam door de straten of zaten angstig op de drempel van hun woning.

Zuster Rita besefte dat ze niet langer de enige was die doorhad dat er iets te gebeuren stond. Ook heel wat andere inwoners moesten de dreiging voelen die uitging van het nachtblauw.

Toen zuster Rita het politiekantoor binnenliep, besefte ze dat er meer aan de hand moest zijn dan alleen maar de angst voor de mist, want tientallen mensen stonden samengepakt in de kleine receptiehal en probeerden zo snel mogelijk tot aan de balie te geraken waar vijf receptionisten hen te woord stonden.

De kloosterzuster had niet het geduld om haar beurt af te wachten en duwde tegen de binnendeur die rechtstreeks naar het politiekantoor leidde, maar ze zat op slot. Zuster Rita gebaarde naar een agent aan de receptie om haar binnen te laten, maar die schudde het hoofd om aan te geven dat hij orders had gekregen om niemand toe te laten in het kantoor.

Rita gaf het niet zomaar op en bonkte met haar vuisten hard op de deur. Niemand kwam opendoen of schonk ook maar enige aandacht aan haar. Toen ze ophield met bonzen en zich zuchtend omdraaide, staarde ze in het gezicht van agent Sanders die net het politiekantoor betrad.

Rita kende de agent maar al te goed. Jaren geleden had hij bij haar in de klas gezeten. Het was een van haar lievelingsleerlingen geweest. Als lerares probeerde ze nooit iemand voor te trekken, maar Gertje Sanders was zó vriendelijk en hulpvaardig dat hij heimelijk toch een van haar favorieten was geweest.

'Gert, wat ben ik blij jou hier te zien!'

De vermoeide ogen van Sanders lachten toen ze zuster Rita zagen. 'Zuster Rita. Dat is lang geleden!'

'Ik heb informatie, maar ik mag niet binnen', viel zuster Rita met de deur in huis.

'Tja, het is hier dan ook enorm hectisch. Kom maar mee met mij.'

'Dank je.'

Sanders opende de deur en zuster Rita volgde hem.

Twee mannen hadden gezien dat de agent en de zuster het politiekantoor binnengingen en kwamen meteen in hun richting gelopen, maar Sanders kon de deur net op tijd weer sluiten. Gebonk en getier weerklonk achter de gesloten deur.

'Waarom zijn al die mensen hier?' vroeg zuster Rita.

'Ze komen mensen aangeven die verdwenen zijn.'

Zuster Rita staarde de agent met open mond aan.

'Heb je het nog niet gehoord? Er zijn al tientallen mensen uit Laarbeke verdwenen en het houdt maar niet op.'

5

Acht personen zaten in de raadzaal rond de zware, ovale, eikenhouten tafel voor de crisisvergadering.

De burgemeester leidde de bijeenkomst en nu korpschef Verbaanderd er niet meer was, had Ceulemans de eer aan de rechterzijde van de burgemeester plaats te mogen nemen.

Ceulemans' blik dwaalde over de aanwezigen. Hij hoopte daar vonken van ideeën te zien die zouden kunnen leiden tot de ontrafeling van het mysterie, maar hij besefte al snel dat iedereen radeloos was.

De hoofdinspecteur en de burgemeester hadden de drie schepenen samengeroepen, samen met nog drie personen van wie ze hoopten dat die ideeën konden aanbrengen of suggesties doen om de situatie beter te begrijpen en/of oplossingen aan te reiken.

Deze drie personen waren informatieambtenaar Reijnders, rampenambtenaar De Pauw en dokter Van Gierde.

Ceulemans had ook heel graag de plaatselijke weerman Alteneers bij de meeting betrokken, maar die was onbereikbaar omdat hij momenteel in Vilvoorde bij de VTM-weerdienst aan het werk was.

Ook hoofdinspecteur Vandenbrande had aanwezig moeten zijn, maar hij had verstek gegeven omdat zijn dochter en zoon verdwenen waren.

'Bedankt om te komen', begon de burgemeester. 'Ik weet dat sommigen onder jullie ook te kampen hebben met verdwijningen van familieleden en vrienden, daarom dat ik het enorm apprecieer dat jullie toch aanwezig zijn. Ik heb deze crisisvergadering bijeengeroepen in de hoop dat we samen kunnen proberen te achterhalen wat er aan de hand zou kunnen zijn. Ik...'

'Nou, ik weet niet wat mijn bijdrage zou kunnen zijn, hoor', onderbrak Van Gierde de burgemeester. Hij liet zijn Hollands accent harder doorkomen dan anders, alsof hij daarmee wilde aantonen dat hij in noodsituaties niets met deze Vlaamse samenleving te maken wilde hebben.

'Voor een situatie als deze bestaat geen pasklaar rampenplan', gaf de burgemeester toe. 'We hadden er geen idee van met wie we best rond de tafel konden gaan zitten. Jij bent uitgenodigd omwille van je medische expertise. Die kan altijd van pas komen.'

De dokter haalde zijn schouders op en leek zichzelf nog altijd overbodig te vinden op deze samenkomst, maar hield zijn mond.

'Uiteraard hadden we er heel graag een weerkundige, een brandweerman en een hele resem wetenschappers bij gehad, maar we moeten het doen met de inwoners van Laarbeke die momenteel binnen onze gemeentegrenzen zijn', viel Ceulemans de burgemeester bij.

De burgemeester knikte en nam meteen weer het woord. 'Eerst zou ik even op een rijtje willen zetten wat er de afgelopen dagen is gebeurd.'

De zeven mannen luisterden naar het relaas van Marinus over de verdwijningen, het wegvallen van elk contact met de buitenwereld, hun rit naar Brussel en de verdwijning van de korpschef. Na zijn bondige uitleg vroeg de burgemeester aan de aanwezigen of ze een theorie hadden.

Ceulemans had ondertussen zelf een theorie bedacht, al bevatte die heel wat hiaten. Omdat hij de anderen niet wilde beïnvloeden, nam hij niet meteen zelf het woord.

Niemand deed zijn mond open, maar uiteindelijk vroeg De Coster, schepen van leefmilieu en ruimtelijke ordening, zich hardop af of het geen weerkundig fenomeen kon zijn.

'Daar hebben we ook aan gedacht en daarom had ik zo graag Alteneers erbij gehad', zei de burgemeester.

Van Gierde, die zichzelf zonet nog als overbodig had bestempeld, moeide zich in de discussie. 'Nou, ik mag dan niets afweten van weerkundige verschijnselen, maar van een dergelijke mist heb ik nog nooit gehoord, hoor. Als je het mij vraagt, is dat niet eens mist. Alteneers had hier volgens mij ook met zijn mond vol tanden gezeten.'

'Kan het niet gelinkt zijn aan de opwarming van de aarde?' vroeg Van Meirdeghem, de schepen van toerisme, jeugd, welzijn en sport.

'De opwarming van de aarde gaat geleidelijk aan', ging Van Gierde hier tegenin. 'Dat is geen verschijnsel dat plots de kop opsteekt.'

Van Meirdeghem was er niet mee opgezet dat zijn theorie met de grond gelijk werd gemaakt. 'En wat mag jouw theorie dan wel zijn, dokter?'

Dokter Van Gierde viel stil en sloeg de ogen neer.

De stilte werd verbroken door Reijnders. 'Ik dacht aan iets anders.'

De informatieambtenaar was er eigenlijk vooral bijgehaald om een persbericht op te stellen zodat de inwoners via de plaatselijke media en de gemeentelijke website op de hoogte konden gebracht worden van de situatie, maar iedereen rond de vergadertafel wilde een verklaring en het kon hen niet schelen uit welke hoek die zou komen. Politieke machtspelletjes waren niet langer aan de orde. Dit ging louter om overleven, want als de inwoners aan dit tempo bleven verdwijnen was Laarbeke binnenkort een spookstad zonder burgers.

'Vertel', moedigde de burgemeester hem aan.

De hoofden van alle aanwezigen draaiden de richting van Reijnders uit. Deze nam een ogenblik de tijd om hun aandacht vast te krijgen met zijn doordringende blik en zei dan: 'Ik denk dat het weleens om een terroristische aanslag zou kunnen gaan.'

Niemand rolde met de ogen of zuchtte. Het was doodstil, want allemaal beseften ze dat hij misschien heel dicht bij de waarheid kon zitten.

'Maar wat is het wapen dan?' vroeg schepen De Coster zich af.

'Eén of ander gas. Of een virus.'

'Maar waarom Laarbeke aanvallen?' vroeg dokter Van Gierde.

'Misschien moeten we dit op grotere schaal zien en is het geen terroristische aanslag tegen Laarbeke. Mogelijk hebben de terroristen België of Europa als doelwit uitgekozen. Een andere mogelijkheid is dat het hen om Brussel en omstreken te doen is.'

'Brussel?' vroeg de burgemeester. 'Omdat het de zetel van de EU is?'

'Ja, maar het zou ook iets te maken kunnen hebben met de komst van de president van Amerika en de eerste minister van Engeland naar Brussel morgen.'

Ceulemans geloofde daar niet echt in. 'Zouden de terroristen dan niet gewacht hebben tot de president en de eerste minister hier zijn? Wat voor zin heeft het om nu al aan te vallen?'

Tot ieders verbazing had de informatieambtenaar een antwoord klaar. 'Misschien willen ze de wereldleiders bang maken. Misschien dreigen de terroristen ermee om ook Amerika en Groot-Brittannië lam te leggen met dit gas als hun eisen niet worden ingewilligd.'

Iedereen leek de theorie van Reijnders de aannemelijkste tot hiertoe te vinden, zelfs Van Gierde bracht er niets tegenin.

'Ik vraag me toch af welke terroristen in staat zijn om een dergelijk wapen te ontwikkelen', wierp rampenambtenaar De Pauw op. 'Een gas dat

sommige mensen laat verdwijnen? Lijkt me heel onwaarschijnlijk.'
Reijnders leek zelf ook te beseffen dat dit de grote leemte was in zijn theorie, want hij haalde zuchtend de schouders op.

Ceulemans vond dit geen slecht moment om zijn theorie uit de doeken te doen. Hij had het vermoeden dat deze situatie weleens het gevolg kon zijn van een EMP. De laatste jaren had de hoofdinspecteur al heel wat gehoord over de elektromagnetische puls en het zou toch al kunnen verklaren waarom contact met de buitenwereld onmogelijk was.

Ceulemans wist lang niet alles over het verschijnsel, maar hij wist wel dat een EMP een elektromagnetisch fenomeen is waarbij op grote afstand elektrische apparatuur kapotgaat. Het verschijnsel kan onder andere veroorzaakt worden door de explosie van een atoombom. Als hij het zich goed herinnerde, ging het om gammastraling die inwerkte op vrije elektronen in de hoge lagen van de dampkring, die vervolgens elektrische stromen vormden, geleid via het aardmagnetische veld. En het was precies dat magnetische veld van de elektrische stroom die de schade aanrichtte.

Ceulemans had onlangs nog gelezen dat men het EMP-verschijnsel vanaf 1962 grondig was gaan bestuderen omdat men in dat jaar nucleaire tests had uitgevoerd boven de Samoa-eilanden. Tijdens het uitvoeren van de tests gebeurden er op 1.300 kilometer afstand, namelijk in Hawaï, vreemde dingen. Straatlichten en elektriciteitszekeringen gingen stuk, telefoonverbindingen werden verbroken en auto's vielen stil.

Ceulemans besefte dat er ook in zijn theorie leemten zaten, maar het EMP-verschijnsel verklaarde alvast waarom ze niemand konden bereiken, al was het wel vreemd dat hun apparatuur wel werkte binnen Laarbeke zelf. Ceulemans wist niet genoeg van het verschijnsel af om te oordelen of hij het daarom kon uitsluiten als oorzaak.

'EMP? Nog nooit van gehoord', gaf de eerste schepen, Alfons Casteels, toe. Het was de eerste keer dat hij zijn mond roerde. 'Maar hoe link je het EMP dan aan de mist?'

Ceulemans had daar al over nagedacht. 'Wel, uiteraard kan de elektromagnetische puls niet de oorzaak zijn van het mistgordijn, maar misschien zijn zowel het EMP als de mist het gevolg van een nucleaire bom die tot ontploffing is gebracht. En dat sluit dan weer aan bij wat

Reijnders heeft gezegd.'

De aanwezigen zwegen.

'Maar hoe zijn de verdwijningen dan in verband te brengen met het EMP-verschijnsel?' vroeg De Pauw zich af.

Ceulemans besefte dat dit een van de hiaten in zijn theorie was en haalde de schouders op.

'En wat denk jij, burgemeester?' vroeg Van Gierde.

'Wel', antwoordde de burgemeester. 'Ik denk dat zowat alle mogelijkheden aan bod gekomen zijn, maar ik weet ook niet wat ik er moet van denken.'

Marinus was al de hele vergadering aan het twijfelen of hij zijn theorie op tafel moest gooien. Hij was dit eigenlijk van plan geweest, maar besefte dat het wel heel ongeloofwaardig zou klinken. Daarom besloot hij erover te zwijgen. Voorlopig toch. Indien er meer zaken in de richting van een buitenaardse invasie wezen, kon hij er nog altijd mee op de proppen komen.

Marinus zag dat Ceulemans hem aanstaarde. De hoofdinspecteur wist dat hij een theorie had en toen de burgemeester vreesde dat hij ernaar zou vragen, klonk er een vrouwenstem achterin de raadzaal.

'Sorry, dat ik jullie stoor. Maar mag ik iets zeggen?'

De achtkoppige delegatie draaide zich naar de kloosterzuster die naast Sanders in de deuropening stond.

Agent Sanders voegde zich bij haar. 'Zuster Rita zou graag deelnemen aan de vergadering', deelde hij mee. 'Ik heb haar gezegd dat dit wel zou kunnen.'

'Kom er gerust bijzitten, zuster Rita', sprak de burgemeester toen hij de kloosterzuster herkende. Als ze hier stond om iets te zeggen, kon je ervan op aan dat het belangrijk was.

'Mag ik gaan?' vroeg agent Sanders aan niemand in het bijzonder.

'Nog steeds geen wijziging in de situatie?' vroeg Ceulemans.

Sanders schudde het hoofd.

'Laat me weten van zodra er verwikkelingen zijn.'

Sanders gaf een kort knikje met het hoofd en beende naar buiten. Hij trok voorzichtig de deur in het slot, alsof hij de vergadering niet nog meer wilde storen.

Zuster Rita schoof een stoel bij tussen dokter Van Gierde en schepen Casteels en keek iedereen zwijgzaam aan.

'Zeg maar wat je te zeggen hebt, zuster', moedigde de burgemeester haar aan.

'Nou ja, ik weet niet of jullie mij zullen geloven, ik verwacht eigenlijk van niet, maar ik denk dat ik weet waar het nachtblauw... de mist vandaan komt.'

Terwijl de omzittenden haar vol verwachting aankeken, schraapte zuster Rita uitgebreid haar keel, waarna ze meedeelde: 'Ik denk dat het nachtblauw uit de hel komt.'

Niemand zei een woord. De kloosterzuster werd door alle aanwezigen aangestaard alsof ze haar verstand had verloren.

'Ik weet hoe dit moet klinken, zeker uit de mond van een oude zuster, maar ik denk dat de duivel de aarde wil vernietigen. Weet je, ik geloofde tot voor een paar dagen zelf niet eens in de duivel. En God heb ik ook nooit als een entiteit gezien, maar als de liefde die heerst tussen alle levende wezens. Maar nu... nu ben ik daar helemaal niet zeker meer van.'

'En vanwaar deze... euh, theorie?' vroeg de burgemeester, niet een klein beetje van zijn stuk gebracht.

'Omdat ik de laatste dagen visioenen krijg, burgemeester. Ik zie beelden uit de toekomst. En al wat ik zie, komt uit. Zo heb ik onder andere het ongeluk van dokter Merens op voorhand zien gebeuren. Ik wilde hem waarschuwen, maar hij luisterde niet.'

'En hoe houdt dit verband met de duivel?' vroeg schepen Van Meirdeghem op sarcastische toon.

'Ik voel zijn aanwezigheid telkens wanneer ik een visioen heb. Ik voel hem niet alleen, ik proef hem, ruik hem, hoor hem.'

Rampenambtenaar De Pauw schoof zijn stoel met een bruusk gebaar achteruit en richtte zich op. 'Ik denk dat ik er maar eens vandoor ga. In deze vergadering zullen we toch niet tot een oplossing komen. De duivel... wat een *bullshit*! Dat jullie daarnaar luisteren!'

'Weglopen heeft geen zin', zei Ceulemans hoewel hij evenmin geloof hechtte aan de woorden van zuster Rita. 'Het is nu toch wel al duidelijk dat je de mist niet kan ontvluchten.'

'Nee, maar deze vergadering wel', zei De Pauw waarna hij er als een speer vandoor ging en de deur hard achter zich dichtsloeg.

6

'Toen agent Sanders me over deze vergadering vertelde, wilde ik absoluut aanwezig zijn omdat ik opnieuw een visioen heb gehad', ging zuster Rita verder. Ze haalde diep adem en blies de lucht uit haar longen. 'Heel wat mensen zullen de komende dagen sterven.'
'Burgers van Laarbeke?' vroeg de burgemeester.
Hij vond het zelf een beetje vreemd dat hij deze vraag stelde omdat hij de zuster helemaal niet geloofde. Maar aan de andere kant, waarom zou hij haar niet geloven? Was zijn theorie dan geloofwaardiger dan die van haar? Zeker niet.
'Ik denk niet dat het de duivel enkel om Laarbeke te doen is. Wat ik wel weet, is dat er heel wat mensen zullen sterven.'
'Heb je het over tientallen of honderden?' vroeg schepen De Coster alsof hij de theorie van zuster Rita al voor waar had aangenomen.
'Ik weet het niet. Ik zie alleen beelden van een enorme brand. Mensen proberen er tevergeefs voor weg te vluchten. Het is verschrikkelijk.'
Zuster Rita vertelde er niet bij dat ze ook zichzelf had zien sterven. Dat was van geen belang.
'Dit slaat nergens op', zei Van Gierde. 'Ik moet De Pauw gelijk geven. Ik heb tot hiertoe geen zinnige verklaring gehoord. Ik denk dat jullie jezelf heel stom gaan vinden als blijkt dat er iets heel logisch aan de hand is.'
'Als jij ons kan vertellen wat dat is, horen we dat graag', zei De Coster. Van Gierde ging er niet op in.
'Nu is de vraag wat we aan de inwoners meedelen', wierp Reijnders op.
'De waarheid', antwoordde de burgemeester. 'We verspreiden een persbericht waarin staat wat we met zekerheid weten. De theorieën laten we momenteel voor wat ze zijn. Het heeft geen zin iets te vertellen waar

we niet zeker van zijn. We moeten de mensen ook vragen weg te blijven uit de mist. Sommigen zullen proberen naar Brussel of naar ergens anders te vluchten. Dat moeten we hen uit het hoofd praten. Zeker na wat er met de korpschef is gebeurd. We delen ook mee dat mensen naar de refter van de gemeenteschool of de sporthal kunnen komen als hun huis bedreigd wordt door de mist. Mensen die iemand als vermist willen opgeven kunnen dit vanaf nu doen in het cultuurcentrum. Daar hebben we heel wat meer plaats dan in het politiebureau. Het is belangrijk dat we alle verdwijningen blijven noteren. Zowel om het aantal bij te houden als om de mensen te laten zien dat we klaarstaan voor hen.' Marinus blikte naar Ceulemans. 'Hoofdinspecteur, doe jij het nodige wat de meldingen van verdwijningen betreft?'

Ceulemans knikte.

Marinus draaide zijn hoofd.

'Reijnders, maak jij een kladversie van het persbericht op?'

'Natuurlijk, burgemeester.'

'Goed.' In een oogopslag keek de burgemeester de drie schepenen aan. 'Jullie geven opdracht aan de technische diensten om alle verzamelplaatsen van de nodige uitrusting te voorzien en zien erop toe dat alles wordt opgevolgd.'

Dan richtte de burgemeester zich tot zuster Rita.

'Ik weet niet of je theorie steek houdt, zuster, maar ik zou graag hebben dat je me laat weten als je nog visioenen hebt.'

'Uiteraard, burgemeester.'

Iedereen richtte zich op en nam zijn taak ter harte. Dat was het enige wat ze konden doen om niet gek te worden.

7

De inwoners van Laarbeke luisterden aandachtig en in een diepe stilte naar het nieuwsbericht op 'Radio Rondom'. Dj Geert Van Acker, die anders altijd naturel en *happy* voor de dag kwam, klonk nu onbezield. Als hij op zo'n eentonige manier zou praten, zou er geen kat op de zender afstemmen, maar nu hingen de inwoners aan zijn lippen alsof hij de zin van het leven uitlegde.

'Lieve luisteraars, de burgemeester wil jullie langs deze weg informeren over wat er in Laarbeke aan de hand is. Het nieuwsbericht dat nu volgt, is door de burgemeester zelf ingesproken en zal om het kwartier worden herhaald. Het wordt aangepast indien er nieuwe ontwikkelingen zijn.'

Een korte stilte, waarna de gespannen stem van de burgemeester weerklonk.

'Beste inwoners, zoals jullie allicht weten, zijn er de laatste dagen in onze gemeente verscheidene burgers verdwenen. Het is aannemelijk dat deze verdwijningen rechtstreeks verband houden met de donkerblauwe mist die ons omringt. Tot nu toe is het onduidelijk wat deze blauwe nevel is en hoe hij wordt veroorzaakt, maar dit wordt door de politie onderzocht. Ook de reden waarom die mensen verdwenen zijn, is nog onduidelijk. Dit is een vreemde en moeilijke situatie voor iedereen, maar het is in omstandigheden zoals deze dat we elkaar moeten helpen en steunen. Ik wil jullie dan ook vragen zo kalm mogelijk te blijven en Laarbeke niet te verlaten. Blijf zoveel mogelijk in huis tot wij de oorsprong van de mist kennen. Indien de mist je woning nadert of je bevindt je in de mist, ga dan naar één van de verzamelplaatsen. De sporthal en de refter van de gemeenteschool zijn vrij toegankelijk. Er zijn al een aantal pogingen ondernomen om Laarbeke te verlaten, maar die zijn vruchteloos gebleven. We zijn afgezonderd van onze buurgemeenten. Contact met de buitenwereld is onmogelijk, maar we proberen de communicatie zo vlug mogelijk te herstellen. Het college, de politie, de hulpdiensten, de gemeentelijke diensten en ikzelf staan voor jullie paraat en zullen alles ondernemen om klaarheid te brengen in deze vreemde situatie. Indien je vermiste personen wilt aangeven kun je hiervoor terecht in het cultuurcentrum. We doen er alles aan om de verdwenen personen op te sporen. Veel sterkte voor jullie allen.'

Marinus had het persbericht tientallen keren ingesproken voor hij het op antenne liet gaan, maar nu hij het hoorde, vond hij het helemaal niet goed meer. De bedoeling was de inwoners een beetje tot rust te brengen door het verstrekken van informatie en een bemoedigend woord, maar nu hij het bericht hoorde, vreesde hij dat het weleens het omgekeerde effect kon hebben.

Maar wat moest Marinus dan wel in het bericht zeggen? Hoe kon hij zijn inwoners geruststellen in deze omstandigheden? Een onmogelijke opdracht aangezien hijzelf doodsbang was.

8

Na het nieuwsbericht op 'Radio Rondom' begaven honderden inwoners zich naar de twee verzamelplaatsen. Vreemd genoeg verliep alles heel sereen. Geen vechtpartijen, geen plunderingen, geen gescheld tegen het gemeentebestuur of de politieagenten. Het was alsof de mensen in een soort van trance verkeerden, een droomtoestand waaruit ze elk moment hoopten te ontwaken.
De inwoners verzamelden zich niet alleen op de twee daarvoor voorziene plaatsen maar ook in de kerk. Een constante stroom mensen begaf zich naar daar om te bidden.
Zuster Rita was een van hen. Ze vond het merkwaardig dat zoveel mensen hun toevlucht zochten tot God. In deze moderne tijden werd het katholieke geloof enkel nog gewaardeerd om de feestdagen die het had ingevoerd. Het echte, diepe geloof leek ver zoek, maar op dit moment waren de mensen zo ontredderd dat ze een houvast zochten. En wie was een betere steun dan God en zijn zoon Jezus Christus, de Redder.
De kerk zat afgeladen vol en zuster Rita moest zoals vele andere gelovigen genoegen nemen met een plaatsje op het kerkpleintje. De mensen riepen niet hysterisch naar God om hen te redden. Het was muisstil, maar de stilte klonk luider dan welk geluid ooit had kunnen doen.

9

Het was even over halfvier toen hoofdinspecteur Ceulemans voor het eerst aan zijn vrouw dacht. De gebeurtenissen hadden hem zo in de ban gehouden dat zijn gedachten pas nu naar haar gingen.

Had dat niet zijn eerste gedachte moeten zijn? Had hij zich niet onmiddellijk om Marie-Rose moeten bekommeren? Geen wonder dat ze bij hem was weggegaan.

Ceulemans diepte zijn gsm uit zijn broekzak en vormde het nummer van de moeder van Marie-Rose.

De telefoon ging acht keer over voordat ze opnam. 'Ja?'

'Is Marie-Rose daar?'

'Moet je nou echt bellen middenin de nacht. Gun haar wat rust!'

Zijn schoonmoeder wist duidelijk nog niet wat er aan de hand was.

Ceulemans was zó opgegaan in de crisis dat hij er nog geen moment had bij stilgestaan dat sommige burgers van Laarbeke nog niet op de hoogte zouden zijn van de situatie. Maar als je erover nadacht, was het niet eens zo vreemd dat er nog veel mensen waren die niets afwisten van de mist en de verdwijningen. Ze zouden slapen op dit uur. De mistbank was gisterenavond aan de gemeentegrenzen opgedoemd, maar het was pas tegen middernacht dat ze de gemeente was binnengedrongen.

De mensen die in het centrum van Laarbeke woonden, waren uiteraard allemaal gewekt door het rumoer rond de kerk, het politiekantoor, de sporthal, het cultuurcentrum en de gemeenteschool, maar de mensen die langs het kanaal woonden of, zoals zijn schoonmoeder, niet ver van de grens met Sint-Wemmels-Rode, zouden de mistbank nog niet hebben opgemerkt.

'Ik euh… ik zou haar echt dringend moeten spreken.'

'Wie is het?' klonk het vaag op de achtergrond. De stem van zijn vrouw.

'Nou, je hebt haar toch al wakker gemaakt', stelde zijn schoonmoeder. 'Ik vraag wel even of ze aan de telefoon wil komen.'

Een hoge, scherpe klik. Zijn schoonmoeder had de telefoon waarschijnlijk neergelegd op het glazen tafeltje.

Gestommel en dan de stem van Marie-Rose.

'Wat is er, Dennis?'

'Ik wilde even horen of alles goed met je is.'

'Maak je me daarvoor wakker?'

'Nou ja, eigenlijk wel. Er is iets vreemds aan de hand.'
'Hè?'
'Kijk eens uit het slaapkamerraam. Dat van je moeder. Aan de noordkant.'
'Ik ben moe, Dennis. Als je iets te zeggen hebt, zeg het dan.'
'Ga nou maar kijken.'
Ceulemans besefte hoe het moest klinken. Er flitste een beeld op voor zijn geestesoog: hij stond met een mandoline onder het slaapkamerraam, klaar om Marie-Rose te verrassen met een serenade. Het zou hem niet verbazen mocht Marie-Rose door zijn vreemde gedrag iets in die richting vermoeden.
'Ik ga niet kijken, Dennis. Ik ga slapen.'
'Goed, goed. Niet opleggen. Ik zeg wel wat er aan de hand is.'
'Maak het kort. Ik ben moe.'
Ceulemans schraapte zijn keel.
'Onze gemeente is omsingeld door een donkerblauwe mist. Er zijn al tientallen mensen verdwenen en alle contact met de buitenwereld is verbroken.'
'Wat? Wat bazel je nou toch allemaal?'
'Ga nou maar kijken uit het slaapkamerraam.'
Weer die hoge scherpe klik, wat betekende dat zijn vrouw eindelijk was gaan kijken. Een paar tellen later kwam ze hijgend terug aan de telefoon, alsof ze niet vijf maar vijfhonderd meter had gelopen.
'Wat is er aan de hand, Dennis?'
'Dat heb ik toch gezegd.'
'Ik begrijp er niks van.'
'Niemand begrijpt er iets van, Marie-Rose. Er is gevraagd aan alle mensen om uit de mist te blijven. Ofwel blijf je binnen ofwel kom je naar één van de twee opvangcentra. De Sporth...'
'Ik blijf wel hier. Maar die blauwe waas, is dat wel mist?'
'Dat weten we niet, Marie-Rose, voorlopig weten we nog niets. Zet je radio aan. Om het uur zendt 'Radio Rondom' een nieuwsbericht uit.'
'Heb je dan geen enkel idee van wat er aan de hand is?'
'Er zijn allerlei theorieën, maar geloof me, die wil je niet horen.'
'Is er versterking vanuit Brussel?'

'Ik zeg toch dat we afgezonderd zijn van de buitenwereld.'
Stilte. Hij kon het ongeloof en de verbazing door de telefoon voelen.
'Ik moet nu weg. Ik hou van je.'
Het laatste zinnetje glipte eruit zonder dat hij er erg in had en het vreemdste was dat ze 'ik hou ook van jou' antwoordde, alsof er nooit ruzie was geweest en ze niet bij hem was weggegaan.
De mist had alles veranderd. Ze had de gemeente in rep en roer gezet, maar de mensen ook dichter bij elkaar en bij God gebracht.
Ceulemans vroeg zich af hoe dicht de verdwenen mensen op dit ogenblik bij God stonden. Hij vreesde dat ze Hem al hadden vergezeld in Zijn paradijs.

10

De burgemeester zat achter zijn computer het persbericht te herschrijven toen zijn gsm overging. Op het display verscheen de naam van zijn zoon.
'Hallo, Theo.'
'Paps. Alles oké met jou?'
'Gezien de omstandigheden toch. Waar ben je?'
'Bij mijn vriendin. Weet je echt niets meer dan wat je in het nieuwsbericht zegt?'
'Nee, jongen. Theorieën genoeg. De vraag is alleen welke de juiste is.'
'Kan ik ergens mee helpen?'
'Blijf maar binnen. En als de mist té dichtbij komt, kom je met je vriendin maar naar mijn bureau in het gemeentehuis. Oké?'
'Oké, paps.'
'Dag, Theo.'
'Dag, paps.'
Marinus sloot het gesprek af en blikte opnieuw naar het computerscherm. De felle gloed deed pijn aan zijn ogen en pas nu besefte hij hoe moe hij wel was. De tijdsprongen van de voorbije dagen hadden hem uitgeput en onder de huidige omstandigheden was het als burgervader

onmogelijk enige rust te vinden.

Marinus voelde zich verantwoordelijk voor zijn inwoners, maar hij vreesde dat wat hij ook deed, nooit genoeg kon zijn.

Marinus had zichzelf altijd beschouwd als een goede burgemeester, die opkwam voor de mensen van Laarbeke, maar nu moest hij aan zichzelf toegeven dat hij nooit een goede burgervader was geweest. Telkens wanneer hij iemand hielp, had hij in het achterhoofd gehouden dat dit een stem bij de verkiezingen kon opleveren. Al wat hij voor anderen had gedaan, had hij eigenlijk uit egoïsme gedaan, om stemmen te werven. En nu hij voor de eerste keer in zijn leven de inwoners wilde helpen zonder aan zijn eigenbelang te denken, vreesde hij dat hij niet sterk genoeg zou zijn.

Stemmen ronselen kwam hem nu belachelijk voor en hij kon zich eigenlijk niet meer voor de geest halen waarom hij daarvoor had geleefd. Om het geld moest hij het niet doen, want als advocaat had hij genoeg verdiend.

Macht, besefte hij plots. Daar was het hem allemaal om te doen geweest. Maar voor de eerste keer in zijn leven voelde hij zich machteloos en eigenlijk had hij dit gevoel al veel vroeger moeten ervaren. Dat zou van hem een ander en waarschijnlijk ook een beter mens gemaakt hebben. Dit inzicht mocht dan verhelderend zijn, het hielp hem totaal niet bij het aanpassen van het persbericht. Toen hij na twintig minuten nog steeds de juiste woorden niet had gevonden om de inwoners meer op hun gemak te stellen, belde hij naar dj Van Acker met de mededeling dat die om vier uur hetzelfde bericht mocht afspelen.

11

Om vier uur werd het muisstil in de refter van de gemeenteschool. Iedereen luisterde als gehypnotiseerd naar de stem van de burgemeester, die uit de vier luidsprekers klonk die omhooghingen in de hoeken. De inwoners van Laarbeke hoopten dat de burgemeester iets meer te weten was gekomen, maar al vlug bleek dat er ook aan dit vijfde nieuwsbericht geen letter was gewijzigd.

Ook Aaron en Kathleen volgden het nieuws, al was het moeilijk om alles te verstaan door het gehuil van Ayla.

Net zoals alle anderen hoopte Kathleen dat de burgemeester zou meedelen dat de situatie onder controle was en dat de mist aan het optrekken was, maar ze moest maar uit het grote raam van de refter kijken om te weten dat dit niet het geval was.

Wat hen ook belaagde, het had zich terdege voorbereid en het zou deze aanval niet zomaar staken. Zo voelde Kathleen het aan. Alsof dit een offensief was met de bedoeling hen uit te roeien. Ze kon geen naam of gezicht plakken op wat hen bedreigde. Misschien was er ook geen naam op te plakken. Misschien was het een onbekende entiteit uit het universum die zich voor de eerste keer op aarde manifesteerde.

Alle televisies spuwden nog steeds alleen maar ruis uit. Dat zag ze op het kleine teeveetje dat in de hoek van de refter stond opgesteld. Eén van de inwoners had het meegebracht en zat er constant naar te turen, tussen de kanalen zappend in de hoop toch iets op te vangen van wat er zich in de buitenwereld afspeelde.

De ruime rechthoekige refter was in twee verdeeld. In het kleinste gedeelte stonden stoeltjes verspreid waarop mensen lusteloos hingen. In het rechtergedeelte had de gemeentelijke technische dienst bedden gezet, waarin slechts enkele inwoners lagen te slapen.

Aaron had geholpen met het installeren van de bedden, maar nadat dat karwei was geklaard, bleef hij in tegenstelling tot zijn collega's in de refter. Er werd hem niet gevraagd om in de sporthal en het cultuurcentrum te helpen. Het was alsof hij van alle taken ontheven was omdat hij in de mist had rondgetoerd. Zijn collega's leken een diep respect voor hem te hebben omdat hij het er levend vanaf had gebracht. Aaron begreep niet precies waarom zijn collega's zo reageerden, maar was wel blij dat hij samen met zijn gezinnetje in de refter kon blijven.

Na het nieuwsbericht begon Ayla weer hardop te krijsen. Aaron wiegde haar zachtjes heen en weer in zijn armen. De vorige dagen was hij het kotsbeu geweest om Ayla te troosten, vooral omdat het toch niets had geholpen, maar in de huidige omstandigheden troostte hij met het heen- en weerwiegen niet alleen Ayla maar ook zichzelf.

Gemeentepersoneel liep af en aan om mensen van eten en drinken te voorzien. Ook voor de kinderen en baby's werd uitstekend gezorgd. Aaron had nooit veel van de burgemeester moeten hebben, maar hij zag de man nu in een heel ander daglicht. De burgemeester nam in deze crisis duidelijk initiatief en was bereid alles te doen om de mensen te helpen. Dat de burgemeester deze situatie niet kon oplossen, was begrijpelijk. Niemand kon iets aan deze toestand veranderen.

'Heb je graag dat ik haar eens overneem?' vroeg Kathleen.

'Nee, nee, niet nodig.'

Terwijl Kathleen opkeek, viel haar blik op de man die bibberend als een rietstengel werd binnengevoerd door een verpleegster. Kathleen herkende hem meteen. Het was de verkoper die ze nogal onvriendelijk de deur had gewezen toen hij haar een stofzuigerdemonstratie wilde geven.

De verkoper ging op een houten stoeltje zitten, dat al vlug meetrilde. De verpleegster liet iemand van het gemeentepersoneel een bekertje water brengen, maar de handen van de verkoper trilden zó erg dat een groot deel van het water over de rand klotste. Als een oud mannetje zette hij het plastieken bekertje tegen zijn lippen.

'Ik ga even kijken wat er met hem aan de hand is', zei Kathleen tegen Aaron. Voor Aaron haar kon vragen of ze die man kende, was Kathleen er al vandoor.

Ze hurkte naast de verkoper. Zijn blauwe ogen waren gefixeerd op de zwarte en witte tegels die gerangschikt waren volgens het patroon van een schaakbord.

'Gaat het met u?' vroeg ze.

De verkoper schrok op uit zijn verstarring en keek haar vragend aan. 'Wat?'

'Ik vroeg of het met u gaat.'

De verkoper schudde het hoofd. 'Ken ik u?'

'Enkele dagen geleden probeerde u mij een stofzuiger aan te smeren.'

De verkoper grijnsde troosteloos. Een deel van de nervositeit gleed van hem af, al bleef het water in zijn bekertje heen en weer klotsen.

'Juist. U was het die de deur in mijn gezicht sloeg.'

'Tja, sorry daarvoor... Bent u van hier?'

'Ik woon in Antwerpen. Mijn baas had me gevraagd om eens te polsen of er potentiële kopers in de rand rond Brussel zitten, maar de mensen zijn hier niet echt vriendelijk. Maar dat hoef ik u waarschijnlijk niet te vertellen.'

Kathleen wees naar haar echtgenoot die hun wenende dochtertje in zijn armen hield. 'Nog eens mijn excuses, maar zoals je ziet, hebben we het de laatste dagen niet gemakkelijk. Ons dochtertje blijft maar wenen.'

'Heeft het iets met... nou ja... met de situatie te maken?'

'Ik denk het wel.'

De verkoper blikte droevig naar de grond. Zijn ogen vulden zich met tranen. 'Mijn zoontje is bijna een jaar. Ik heb hem al twee dagen niet meer gehoord of gezien.'

'Waarom ben je hier zolang gebleven?' vroeg Kathleen.

De man zuchtte diep en probeerde een kort lachje.

'De bedoeling was om in deze omgeving slechts enkele weekdagen en in het weekend van deur tot deur te gaan, maar ik raak hier sinds gisteren niet meer weg.'

'Omwille van de mist?'

De verkoper schudde het hoofd. 'Omwille van mijn angst.'

Kathleen keek de vertegenwoordiger vragend aan en dat was genoeg om hem zijn verhaal te laten doen.

'Ik durf plots geen straten meer op. Ik denk dat ik een soort pleinvrees heb. Maar daar heb ik vroeger nooit last van gehad. Ik heb me gisteren en vandaag in een boerenstal schuilgehouden.'

Dat deze man ook een fobie had, betekende dat Aaron en zij niet de enigen waren. Het zou Kathleen niet verbazen mochten er nog zijn. Op een vreemde manier stelde haar dat gerust.

'Waarom heb je niet naar je vrouw gebeld?' vroeg ze.

'Nou ja, gisteren heb ik haar gebeld om te zeggen dat ik hier zou overnachten. Ik durfde haar niet vertellen wat er werkelijk aan de hand was. En sinds vandaag is ze onbereikbaar. Net zoals iedereen buiten Laarbeke.'

Kathleen wilde de man troosten maar had er geen idee van hoe ze dat moest doen. Omdat de man niemand kende in Laarbeke, vroeg

Kathleen hem of hij graag bij hen kwam zitten. De verkoper ging dankbaar in op het aanbod.

Toen Kathleen de man aan Aaron voorstelde, besefte ze dat ze zijn naam niet eens kende.

'Bart Smets', zei hij.

Al vlug raakten ze aan de praat over de mist en deelden ze met elkaar de angsten die hen de laatste dagen waren overvallen.

Samen probeerden ze te bedenken wat er met hen en met de wereld aan de hand zou kunnen zijn, maar zoals alle andere inwoners kwamen ze er niet uit.

12

Blauw.

Alleen maar blauw.

Het blauw was overal om hem heen en kleefde als een gigantische kwal aan zijn lichaam.

Stiekem had Arthur gehoopt dat het blauw de toegangspoort naar de hemel was waar zijn geliefde Louisa hem zou opwachten. Maar Arthur besefte nu al een tijdje dat hij niet in de hemel was. De plaats waar hij zich bevond - waar dat ook mocht zijn - voelde niet hemels aan, ze voelde niet eens goed aan. Het was alsof het kwaad er op de loer lag. Nou ja, niet echt op de loer. Het kwaad was overal om hem heen. Het donkerblauw was het kwaad. Het was geen mist of nevel, maar een essentie.

Wat als hij voor altijd in dit kille blauw moest doorbrengen? Had hij het voor Louisa over om hier eeuwig rond te dwalen? Het antwoord was 'ja'. Toch als ze dat samen konden doen. Hij had alles voor haar over, maar hij kon zich niet voorstellen dat ze hem was komen halen op aarde om hem naar hier mee te nemen.

Waar was Louisa?

Arthur was haar een hele tijd achternagelopen, maar nu was ze nergens meer te bespeuren. 'Achternalopen' was eigenlijk niet het juiste woord, want lopen was onmogelijk in het blauw. Het voelde aan als zweven, hoewel hij toch ook een bodem onder zijn voeten voelde. De gewaarwording was eigenlijk niet te beschrijven.

Arthur keek naar beneden om de bewegingen die zijn oude benen maakten te volgen, maar hij zag enkel zijn op- en neergaande dijbenen, want het blauw had zijn benen tot net boven de knie opgeslokt.

Arthur voelde geen enkele pijn meer in zijn lichaam. Hij liep niet gebogen onder de reuma of voelde geen stekende pijn in zijn benen. Hij had zich in geen jaren meer zo fit gevoeld en indien er niet de loodzware last van het blauw was geweest, zou hij gejuicht hebben.

Plots kringelde een sliert witte rook uit het blauw. Zijn benen stopten met malen en toen hij tot stilstand kwam, zag hij dat het geen rook was maar het witte kleed van Louisa.

Zijn overleden vrouw zweefde naar hem toe. Ze zag eruit zoals op de ochtend dat ze gestorven was. Wondermooi. Ze lachte en de kuiltjes in haar wang vertederden hem zoals altijd. Haar glimlach werkte aanstekelijk en ook zijn mondhoeken krulden.

'Louisa…' Haar naam kwam als een zucht over zijn lippen en het verwonderde hem dat hij kon spreken. Hij had gedacht dat het hardnekkige blauw alle geluiden zou opslorpen.

'Arthur… ik heb je gemist.' Louisa glimlachte nog steeds. Haar mond had niet bewogen.

Ze had in zijn hoofd gesproken. Hoe dat mogelijk was, kon Arthur niet schelen. Het belangrijkste was dát hij haar hoorde.

Arthur wilde Louisa in zijn armen nemen, maar het blauw verhinderde hem ook maar één beweging te maken. Louisa bleef een halve meter van hem staan.

'Dit is het dichtste dat ik bij je kan komen', sprak ze in zijn gedachten.

'Kom je me halen?' vroeg Arthur.

'Die macht heb ik niet, liefste.'

'Waarom ben je dan gekomen? Waarom heb je me in het blauw gelokt?'

'Omdat hier contact het makkelijkste is.'

'Wat wil je me zeggen, Louisa?'

'Ik kan je niet komen halen, liefste, maar jij kan wel tot bij mij komen.'

Arthur probeerde zich tevergeefs te bewegen. 'Maar hoe moet ik dat doen...? Zelfmoord?'

Louisa schudde het hoofd. Tranen blonken in haar ogen. 'Dat gaat niet, Arthur. Dat is niet de weg die je moet volgen. Ik weet zelf niet wat de juiste weg is om te volgen, maar ik kom je vragen om die weg te zoeken. Anders kunnen we nooit meer samen zijn.'

'Maar als ik sterf, kunnen we weer samen zijn, en dan...'

Louisa blikte verslagen naar de grond, waardoor Arthur besefte dat er iets helemaal mis was. Dat zag hij aan haar blik, aan de samengeknepen lippen.

En wat ze hem toen vertelde, verkilde zijn ziel. Hij schreeuwde het uit tot zijn stem oversloeg.

13

Toen het nieuwsbericht voor de negende keer werd uitgezonden, was het nog bijna hetzelfde als het eerste bericht om drie uur. Slechts één zinnetje was eraan toegevoegd, namelijk dat de donkerblauwe mist nog steeds vorderde en nu de grenzen van Laarbeke al ruimschoots was gepasseerd.

De langslapers, die niets gemerkt hadden van de netelige situatie waarin Laarbeke en misschien wel heel de wereld zich bevonden, werden om elf uur door radiowagens op de hoogte gebracht van de toestand. Uit twee grote luidsprekers, die bovenop de politiewagens gemonteerd waren, klonk het nieuwsbericht dat ook op 'Radio Rondom' werd voorgelezen. Deze maatregel werd getroffen zodat niemand in de mist verzeild zou raken zonder te beseffen wat er gaande was.

In tegenstelling tot wat de burgemeester en de politiediensten vreesden, brak er geen paniek uit. Mensen deden wat hen gevraagd werd. Ze bleven in hun huis tot net vóór het moment dat het werd opgeslokt door de blauwe mist. Dan begaven ze zich als makke lammetjes naar de crisiscentra of de kerk, die ondertussen als derde opvangcentrum was ingericht. Sommige inwoners wachtten niet tot de komst van het donkerblauw, maar vluchtten meteen naar het centrum van Laarbeke om onderdak te vinden in een van de opvangcentra.

De straten krioelden van de agenten. Zij gaven de mensen de nodige inlichtingen, al konden ze tot hun frustratie geen antwoord verschaffen op de meest gestelde vraag: *wat is er in godsnaam aan de hand?*

Niet alleen de politieagenten, maar ook een groot deel van het gemeentepersoneel, het plaatselijke Rode Kruis, verplegers, dokters, verenigingen en vrijwilligers boden hun hulp aan. Mensen hielpen elkaar om deze crisis door te komen, maar de vraag wat deze crisis veroorzaakte en of die ooit zou voorbijgaan, brandde op ieders lippen.

14

Samen met hoofdinspecteur Ceulemans bezocht de burgemeester de drie opvangcentra en het cultuurcentrum. Zowel in de sporthal, de schoolrefter, de kerk als het CC was iedereen uiterst rustig.

Marinus had verwacht dat hij zijn rondgang vroegtijdig zou moeten stopzetten omdat de inwoners hem zouden aanklampen, maar niemand kwam naar hem toe. De mensen bleven kalm op hun plaatsen zitten of liggen.

Marinus besefte dat zijn burgers hadden ingezien dat deze situatie ook boven het hoofd van hun burgervader was gegroeid en dat hij ook radeloos was. Dat deed Marinus haast lichamelijk pijn, want hij had hen zo graag willen helpen. Hij had er alles aan willen doen om de donkerblauwe mist te verdrijven, maar hij had er geen flauw idee van hoe hij eraan moest beginnen.

Marinus sprak met de vrijwilligers en met het personeel van de gemeentediensten. Allen bevestigden ze dat de mensen die ze opvingen, helemaal niet veeleisend waren.

Laarbeke was een rijke gemeente en mensen klaagden er om het minste. De gemeentelijke elektronische klachtenbus, die gelinkt was aan de website, zat elke dag afgeladen vol met klachten, die zowel te maken hadden met politionele, grondgebieds- als milieu- en andere zaken.

Marinus dacht weleens dat de burgers al die klachtenbrieven schreven om na te gaan of ze wel antwoord zouden krijgen. Als ze dat niet ontvingen, konden ze gaan rondbazuinen dat het gemeente- en politiepersoneel echt zo lui is als iedereen denkt.

Maar nu er iets ernstigs aan de hand was, bleven de klachten uit. Mensen stelden zich met het minste tevreden. Ze waren al blij dat ze onderdak hadden.

De weinige problemen die er waren, werden veroorzaakt door de mensen die een familielid, kennis of vriend zochten, maar daar kon de burgemeester begrip voor opbrengen. Hij werd haast misselijk toen hij eraan dacht hoe het moest aanvoelen een geliefde te verliezen in een crisissituatie waarin je elkaar zo hard nodig had.

In het cultuurcentrum bleven de aangiftes van verdwenen personen binnenkomen. Toen de burgemeester ernaar informeerde, bleek het al om een 300-tal vermiste personen te gaan.

Toen de burgemeester het cultuurcentrum verliet, blikte hij naar de horizon, maar het enige wat hij zag, was het donkerblauwe waas.

Het mistgordijn was de laatste uren dichterbij geslopen en sloot hen beetje bij beetje in. Deze ochtend was het luchtruim nog helderblauw geweest, maar in de loop van de voormiddag hadden donkere nevelsluiers het lichtblauw bedekt. De stralende junizon was al snel verlept tot een waterzonnetje en nu was het hemellichaam nergens meer te bespeuren. De hemel was diep donkerblauw en dreigend. Het zou niet lang meer duren voor heel Laarbeke door het nachtblauw zou worden opgeslokt.

15

De hele dag waren Marinus en Ceulemans door Laarbeke getrokken om de mensen te troosten en moed in te spreken, maar met elke seconde die voorbijtikte, hadden ze zelf meer troost en moed nodig.

Het nachtblauw palmde nu het overgrote deel van Laarbeke in. In het noorden bleven de huizen langs het kanaal voorlopig uit de gevarenzone en ook in het zuidwesten, aan de grens met Sint-Wemmels-Rode, bleef de mist op veilige afstand. Het was alsof de mistbank sommige plaatsen meed, maar de burgemeester had er het raden naar hoe dit kwam. Ook het centrum van Laarbeke bleef voorlopig nog gespaard, maar de blauwe mistbank naderde enorm snel. Het kerkhof, dat achter de kerk lag, werd ook al belaagd door de mistsluiers. Hoelang nog voor de kerk zou ondergedompeld worden in het blauw en bijgevolg ontruimd zou moeten worden?

Heel wat burgers waren in de loop van de namiddag afgezakt naar de drie opvangcentra. Omdat er niet voldoende plaats was voor iedereen, waren er twee bijkomende opvangcentra ingericht: de loods van de gemeentelijke technische dienst en de privéfeestzaal Doringo. De eigenaar van de zaal was zelf met het idee gekomen en de burgemeester was dankbaar op het aanbod ingegaan.

Marinus en Ceulemans zaten uitgeput in het bureau van de burgemeester. Ze beseften dat ze de tocht langs de opvangcentra niet alleen voor de burgers hadden gemaakt, maar ook voor zichzelf, om het gevoel te hebben dat ze iets deden. Alles was beter dan werkloos toe te zien hoe het nachtblauw naderbij sloop.

Marinus en Ceulemans dronken allebei een kop roetzwarte koffie in de hoop dat de cafeïne hen wakker zou houden. Ze weigerden om te gaan slapen. Ze wilden op de hoogte blijven van hoe de situatie evolueerde, maar beseften dat ze toch ooit eens hun ogen zouden moeten sluiten.

Ceulemans nipte van zijn koffie en verbrandde bijna zijn lippen. Het deed pijn, maar hij omarmde de pijn omdat ze hem eraan herinnerde dat hij nog leefde en dat de situatie, hoe uitzichtloos ook, nog niet verloren was.

'En?' vroeg Ceulemans. 'Waarom heb je jouw theorie vanmorgen niet met iedereen gedeeld op de vergadering?'

Het was vreemd hoe vlug mensen naar elkaar toegroeiden in een crisissituatie. Terwijl hij de burgemeester altijd had aangesproken met 'u', was hij zonder het zelf te beseffen de laatste uren 'je'gaan zeggen.

De burgemeester zette zijn kop koffie op zijn bureau en wreef met beide handen in zijn ogen om de vermoeidheid te verdrijven.

'Omdat mijn theorie meteen van tafel zou worden geveegd... en omdat ik niet wil dat men denkt dat ik gek ben', voegde hij er in alle eerlijkheid aan toe.

'Is het zo krankzinnig?'

'Niet krankzinniger dan de verklaring van zuster Rita.'

Ceulemans zuchtte. 'De duivel. Hoe komt ze erop? En toch kan je het niet zomaar verwerpen. Deze situatie is zó bizar dat elke verklaring wel mogelijk is.'

'Als je er zó over denkt, kan ik misschien mijn theorie met jou delen.'

'Als je dat wil.'

'Zolang je belooft er niet mee te lachen.'

'Ach, burgemeester, ik weet niet eens of ik nog zou kunnen lachen als ik het al wilde.'

'Wel, Ceulemans, ik heb zo het vermoeden dat het om een invasie gaat.'

'Een invasie?'

De burgemeester knikte overtuigd. 'Een invasie van een andere beschaving.'

Hij liet een stilte vallen zodat Ceulemans de tijd kreeg om erover na te denken.

'Je hebt het over... een buitenaardse beschaving.'

'Inderdaad, Ceulemans. Buitenaardse wezens, *aliens*, marsmannetjes.'

In normale omstandigheden zou Marinus zelf gelachen hebben, maar nu krulden zijn mondhoeken zelfs niet een klein beetje.

Ceulemans had geweten dat de burgemeester met een heel vreemde theorie in het hoofd zat, maar dit had hij toch nooit van hem verwacht. Doordat deze theorie van de burgemeester kwam, zowat de meest nuchtere persoon in Laarbeke, kreeg ze wel iets geloofwaardigs. Toch kon Ceulemans er moeilijk inkomen.

'Je hebt gelijk, burgemeester, je theorie is even krankzinnig als die van zuster Rita.'

Voordat de burgemeester kon zeggen dat hij Ceulemans had gewaarschuwd, werd er op de deur gebonkt.

'Binnen.'

Agent Sanders stormde het bureau binnen. Hij zag lijkbleek, hij opende zijn mond om iets te zeggen, maar er kwamen alleen maar onverstaanbare klanken uit.

'Wat is er Sanders?' vroeg Ceulemans gealarmeerd.

'De... de klok, hoofdinspecteur. De klok staat stil.'

Het duurde even voor Ceulemans en Marinus begrepen wat Sanders bedoelde, maar toen ze naar de klok aan de wand blikten, merkten ze dat het één minuut over tien was en dat de secondewijzer niet bewoog. Alsof ze elkaar een onzichtbaar teken gaven, blikten ze gelijktijdig naar hun digitale polshorloge.

22:01. En de seconden bleven koppig op 35 staan.

zondag 20 juni (dag 7)

1

22:01. Zó laat was het. En zó laat bleef het.
Alle klokken in Laarbeke waren precies om één minuut over tien uur 's
avonds stilgevallen, zowel de analoge als de digitale.
Marinus leunde achterover in zijn kantoorstoel en masseerde met
zijn vingertoppen zijn hoofdhuid. Zijn stekende hoofdpijn wilde niet
wijken. Het was alsof iemand steeds weer opnieuw met een lange, fijne
priem zijn schedel doorboorde om zijn hersens eraan te rijgen.
Terwijl Marinus met zijn vingers door zijn haren woelde, dacht hij aan
het stilvallen van de tijd. Hij wilde er liever niet aan denken, maar hij
had geen andere keuze. Zijn gedachten kronkelden steeds weer rond
de materie.
Toen Marinus had vernomen dat de tijd stilstond, had hij de
chronometer op zijn uurwerk opgezet om zo toch te weten hoe laat
het was. Geen slecht idee, ware het niet dat de chronometer al na vijf
seconden was gestopt. Marinus had een tweede poging ondernomen.
Deze keer was de chronometer niet verder geraakt dan drie seconden. De
burgemeester had Ceulemans dan maar gevraagd met zijn chronometer
de tijd te bepalen, maar zijn stopwatch gaf er na twee seconden de brui
aan. De conclusie van Marinus die hij zolang mogelijk had proberen te
verdringen, was dat niet alleen de klokken waren stilgevallen, maar dat
de tijd niet meer bestond.
Zaterdag was ondertussen waarschijnlijk al onmerkbaar overgevloeid
in zondag, maar er was niemand die dat met zekerheid kon zeggen.
Wat was er wél nog met stelligheid te zeggen? Alle zekerheden waren
de laatste dagen weggevallen, alsof de natuurwetten niet langer van
toepassing waren.
De burgemeester had de afgelopen uren een manier proberen te
bedenken om de tijd toch enigszins te kunnen bepalen. Hij had er geen
kunnen vinden. De zon had hen de tijd kunnen wijzen, ware het niet
dat het firmament verborgen zat achter het nachtblauw en geen enkel
hemellichaam sterk genoeg was om zijn licht op aarde te werpen.
De mist had zich intussen in bijna heel Laarbeke genesteld. Als Marinus
de informatie van de politie mocht geloven, was er enkel langs het

kanaal nog een strook waar het nachtblauw niet was doorgedrongen. Ook in enkele gebieden die aan Sint-Wemmels-Rode grensden, had het nog niet gemist. Het centrum van Laarbeke raakte meer en meer ingesloten door de blauwe nevel en de burgemeester dacht eraan te evacueren naar het gebied aan het kanaal. Hij had daar de opdracht nog niet voor gegeven omdat er in de kanaalzone geen grote panden waren om de mensen in onder te brengen. Er waren alleen de ruime kantoren van het hoogtechnologische bedrijf ID&G die eventueel konden ingericht worden als opvangcentra. De andere bedrijven in de kanaalzone waren niet geschikt om mensen te huisvesten.

Vier opvangcentra lagen nog in de mistvrije zone, maar de vraag hoelang dat nog zou duren, drong zich op. De kerk was al ontruimd omdat de mist te dicht was genaderd. Ondertussen was het kerkgebouw trouwens al helemaal verzwolgen door het nachtblauw. Op de plaats waar het imposante renaissancebouwwerk was opgetrokken, bevond zich nu alleen nog maar een blauw massief, alsof de kerk er nooit had gestaan.

Het huis van God was voor vele gelovigen een baken geweest om zich aan vast te klampen. Nu dat houvast er niet meer was, voelden ze zich ontreddderd, in de steek gelaten. Toch had niet het verdwijnen van de kerk, maar wel het stilvallen van de tijd de grootste impact. De realiteit lag nu volledig aan diggelen en Marinus voelde zich zoals alle inwoners van Laarbeke alsof hij in een vacuüm leefde, een cocon waarin ze allen ingesponnen waren. Een verstikkend gevoel dat iedereen doodsangst aanjoeg.

De paniek die voorheen was uitgebleven, had de laatste uren heel wat burgers in zijn greep gekregen. De angst van de inwoners vertaalde zich in hysterisch en onvoorspelbaar gedrag.

Omdat Marinus had vernomen dat verscheidene burgers Laarbeke wilden ontvluchten, had hij het nieuwsbericht aangepast. Zijn bedoeling was de mensen aan te sporen om in Laarbeke te blijven. Hij was bang dat binnen de kortste keren iedereen in de mist zou verdwijnen. In het nieuwe persbericht had hij ook de bevriezing van de tijd verwerkt. Hij probeerde de bevolking te overtuigen dat dit niet zo erg was omdat het begrip 'tijd' op dit ogenblik toch van weinig belang was. Maar terwijl hij het nieuwsbericht live op antenne had ingeproken, had hij beseft dat hij zichzelf iets wijsmaakte. Tijd was wél belangrijk. Het was het anker geweest dat hen op de juiste positie had gehouden en nu dreven ze als een losgeslagen schip op een eindeloze zee, het roer stuurloos.

2

Hoofdinspecteur Ceulemans besefte dat het stilvallen van de tijd kon gelinkt zijn aan de elektromagnetische puls. Het was hem bekend dat door een EMP klokken konden stilvallen. Maar het klopte niet dat eerst de communicatie was uitgevallen en pas veel later de klokken; dat zou gelijktijdig moeten gebeurd zijn. Tenzij er een tweede puls was geweest die de uurwerken had stilgelegd. Mogelijk, maar dan bleef de vraag waarom andere apparatuur het nog wel deed: computers, auto's...

Ceulemans probeerde niet langer na te denken over wat er aan de hand kon zijn. Hij concentreerde zich volledig op zijn taak om de orde in Laarbeke te handhaven. Met zijn team van agenten probeerde hij de inwoners die Laarbeke wilden verlaten, te overtuigen om te blijven, maar ze luisterden niet.

Ceulemans kon de burgers heel goed begrijpen, want ook hij wilde zo snel mogelijk wegvluchten, maar hij bleef omdat hij besefte dat er buiten Laarbeke toch alleen maar die verdomde mist was. Bovendien voelde hij zich verantwoordelijk voor wat er gebeurde. Indien hij de juiste beslissingen en maatregelen nam, kon hij de schade misschien beperken en ervoor zorgen dat er niet nóg meer mensen zouden opgeslokt worden door het nachtblauw.

Een bijkomend probleem was dat ook de agenten hypernerveus waren. Sommigen lieten het korps in de steek om een verdwenen familielid op te sporen, anderen legden er het bijltje bij neer omdat ze de stress niet meer aankonden en bij hun naasten wilden vertoeven.

Ceulemans keurde hun gedrag volledig af. Het was in crisissituaties zoals deze dat je kon beoordelen voor wie agent-zijn gewoon een manier was om de boterham te verdienen.

Ceulemans had een enorme bewondering voor Sanders. Enkele dagen geleden had de agent nog liever thuis bij zijn vriendin willen zijn dan een paar overuren te presteren, maar sinds de komst van het nachtblauw hield hij het hoofd koel en hielp hij waar nodig. Het ontzag van Ceulemans voor Sanders was nog gegroeid toen de agent zich met evenveel energie van zijn taak bleef kwijten nadat zijn vriendin en ouders waren verdwenen.

Ceulemans marcheerde voorbij het cultuurcentrum, waar nog steeds enkele inwoners stonden aan te schuiven om de verdwijning van verwanten en kennissen te melden, toen twee ambtenaren op hem kwamen toegelopen. Ceulemans kende de namen van de twee mannen niet, maar meende zich te herinneren dat de ene op het kabinet van de secretaris werkte en de andere op de dienst bevolking. Ze klampten hem hijgend aan alsof ze net de duivel waren ontvlucht.

'Er... er is een oude man uit de mist opgedoken. Hij is in elkaar gezakt.'

'Waar?'

'Op het kerkplein.'

Ceulemans zette zich onmiddellijk in beweging en snelde naar het kerkplein dat zich op slechts een honderdtal meter bevond. De oude man lag op de kasseien, een paar meter vanwaar de mistbank begon. Naast hem zat een vrouw die op hem inpraatte en aan zijn hoofd en pols voelde. Ceulemans vermoedde dat ze een verpleegster was.

Een menigte van gelovigen, die een poos geleden door de mist uit het kerkgebouw waren verdreven en nu op het kerkpleintje bivakkeerden, dromde rondom de oude man.

Toen Ceulemans naast de man knielde, herkende hij hem. Het was Arthur, de grootvader van Marissa. Arthur was een bekende figuur in Laarbeke omdat hij jarenlang de garage op de hoek van de Willemstraat en de Aelbrechtstraat had uitgebaat.

Voor zover de hoofdinspecteur wist, was dit de eerste verdwenen persoon die terug uit de mist kwam, waardoor er plots hoop was. Als Arthur terugkwam, betekende dit misschien dat ook anderen terug zouden keren uit het nachtblauw.

Ceulemans draaide zich om naar de ambtenaar van de dienst bevolking.

'Haal een auto en voer hem naar de ziekenboeg in de gemeenteschool! En probeer Marissa Gaevers op te sporen. Dat is zijn kleindochter. Ze woont in mijn straat. De Driebeukelaarsstraat. Nummer zeven, als ik het goed voorheb.'

De man knikte en rende naar de parking naast het gemeentehuis.

'Gaat het, Arthur?' vroeg Ceulemans.

De ogen van de oude man bleven gesloten. Zijn ademhaling klonk rasperig. Toen hij er eindelijk in slaagde zijn ogen te openen, probeerde hij ze op Ceulemans te richten. De twee oude, vermoeide ogen keken de hoofdinspecteur wazig aan.

'Louisa… ik… ik… heb haar gezien.'

Ceulemans kende Arthur goed genoeg om te weten dat hij het over zijn overleden echtgenote had. De hoofdinspecteur wist niet hoe hij moest reageren en hield zijn mond.

'Ze… ze heeft met me gesproken.'

Ceulemans vermoedde dat de oude man ijlde. Ceulemans vroeg zich af wat Arthur echt in de mist had gezien en hoe het kwam dat hij zo van zijn stuk was. Hoewel hij besefte dat hij de man op dit ogenblik eigenlijk met rust moest laten, kon hij niet laten hem ernaar te vragen.

'Wat is er in de mist gebeurd, Arthur?'

De oude man keek de hoofdinspecteur voor het eerst recht in de ogen.

'Het nachtblauw… mijn… mijn vrouw was er. Dat… dat zeg ik toch.' De oude man blikte omhoog naar de donkerblauwe lucht. 'Daar is Louisa', sprak hij. 'Daar hoog in de hemel.' Vervolgens keek hij weer in de richting van Ceulemans, maar zijn pupillen slaagden er niet in om opnieuw oogcontact met hem te leggen. 'Ze… ze kwam om… om me te zeggen wat er gaande is.'

Arthur staarde Ceulemans zwijgend aan.

Hoewel Ceulemans ervan overtuigd was dat Arthur bazelde, betrapte hij er zichzelf op dat hij hoopte dat de oude man met een zinnige uitleg voor de dag zou komen die heel deze bizarre situatie zou kunnen verklaren. En Ceulemans was niet de enige. Ook de verpleegster keek vol verwachting naar Arthur. Maar het waren vooral de gelovigen op het kerkplein die aan zijn lippen hingen. Het zou Ceulemans niet verbazen dat ze de oude man tot hun nieuwe Messias zouden uitroepen als hij iets zei wat hen kon bekoren. De mensen hadden behoefte aan een houvast en aan de ogen van de aanwezigen was af te lezen dat ze dachten dat Arthur misschien diegene was die hen dat kon bieden.

'We… we zijn verdoemd', fluisterde Arthur. 'Er is niets… niets dat ons nog kan redden… We… We…'

Arthurs lippen probeerden nog een boodschap mee te delen maar zijn ogen vielen weer dicht.

Hoewel Arthur gefluisterd had, hadden de gelovigen het woord 'verdoemd' maar al te goed opgevangen en het gefezelde woord liep als een vuurtje doorheen de menigte, tot het over het hele kerkplein weerklonk.

De menigte van gelovigen week uiteen toen een zwarte Citroën het kerkplein opstoof. Met piepende banden kwam de auto een paar meter vóór Ceulemans en de oude man tot stilstand. De ambtenaar van de bevolking sprong van achter het stuur en opende een achterportier terwijl de wagen stationair bleef draaien. Ceulemans pakte Arthur vast bij zijn schouders en de ambtenaar hield de benen van de bewusteloze man vast. Samen droegen ze Arthur naar de auto en legden hem voorzichtig neer op de achterbank. De ambtenaar wipte meteen weer achter het stuur.

Ceulemans wilde het portier aan de kant van de bijrijder openen toen hij merkte dat alle mensen op het kerkplein naar de mistbank gaapten. De ambtenaar merkte dat Ceulemans aarzelde en vertrok met gierende banden.

Ceulemans volgde de blikken van de aanwezigen en zag hoe uit het donkerblauwe mistgordijn een man en een vrouw stapten. Ze hadden elk een klein meisje aan de hand. Ceulemans herkende geen van hen, maar hij kon uiteraard niet iedereen in Laarbeke kennen. Hij liep naar hen toe.

'Alles in orde met jullie?'

De man keek verwonderd om zich heen alsof hij een andere dimensie was binnengestapt. 'Waar zijn we?'

3

Er waren niet veel mensen ondergebracht in de ziekenboeg. De kleine ruimte in de gemeenteschool, die eigenlijk de personeelsrefter was, was niet eens voor een kwart gevuld. De meeste mensen die er lagen, hadden behoefte aan medisch toezicht omdat ze paniekaanvallen hadden of in shock waren. Een jonge kerel was opgenomen omdat hij zich zó lazarus had gezopen dat hij achterover van zijn stoel was gevallen en met zijn achterhoofd op de leuning van de stoel achter hem was terechtgekomen.

Arthur lag in een bed in de rechterhoek. Marissa was ondertussen opgespoord en stond naast haar grootvader. Haar dochtertje zat op de schoot van haar echtgenoot en speelde met een barbiepop. Dokter Van Gierde legde Marissa uit dat Arthur gewoon was flauwgevallen en dat voor de rest alles oké met hem was.

Ook het gezin dat uit het nachtblauw was opgedoken, was naar de ziekenboeg gevoerd. De man en de vrouw zaten in een zeteltje en hadden elk een kind op hun schoot. Hoewel geen enkele van de gezinsleden gewond of ziek was, had Ceulemans hen naar de ziekenboeg laten overbrengen omdat ze helemaal van slag waren. Bovendien wilde hij hen afzijdig houden om hen enkele vragen te stellen.

De vier gezinsleden waren niet de enigen van buiten de gemeente die in Laarbeke verzeild waren geraakt. Ceulemans had ook een handelsreiziger gesproken die afkomstig was uit Antwerpen en hier stofzuigers kwam verkopen. De man leed al enkele dagen aan agorafobie waardoor hij niet meer naar huis durfde keren. Ook hij had een tijdje in de ziekenboeg doorgebracht, waarna hij naar een van de verzamelplaatsen was verhuisd.

Ceulemans schoof een stoeltje bij en nam plaats tegenover de man en de vrouw. 'Gaat het al een beetje beter?'

'Er is nooit iets mis geweest met ons. Alleen met onze auto', antwoordde de man nogal gepikeerd.

'We waren op zoek naar iemand die onze auto kon repareren', lichtte de vrouw toe. Ze klonk heel wat vriendelijker dan haar wederhelft. 'Hij is in panne gevallen op de autosnelweg.'

'Waar reden jullie naartoe?' vroeg Ceulemans.
'Naar Halle. En we wonen in Meise', voegde de vrouw eraan toe.
'En was er overal mist op de snelweg?' vroeg Ceulemans. Het leek een gewone vraag, maar zijn hart klopte tot in zijn keel toen hij ze stelde. Dit waren waarschijnlijk de enige mensen die buiten Laarbeke waren geweest op het ogenblik dat de mist was opgedoken, want de handelsreiziger was hier al geweest toen het nachtblauw hen insloot.
'Tja, we rijden al een hele tijd in de mist', gaf de man aan.
'En waar begon de mist?'
Hij staarde Ceulemans aan alsof die ze niet alle vijf op een rijtje had.
'Wat voor een vraag is dat nu? Waarom interesseert die mist u zo?'
'Dat vertel ik u zo dadelijk. Maar kan u misschien eerst antwoorden op mijn vraag?'
'Ik denk dat die mistbank een kilometer of twee terug begon', antwoordde de vrouw.
'En wat was er vóór de mist?' vroeg Ceulemans.
'Geen mist', zei de man, die het duidelijk beu was op de onnozele vragen van de hoofdinspecteur een antwoord te geven.
'En hoelang geleden bent u in panne gevallen?'
'Om tien uur', zei de vrouw. 'Dat weet ik nog precies omdat ik op mijn horloge keek.'
'En hoe laat is het nu?' vroeg Ceulemans.
De man verzette zijn dochter en keek Ceulemans aanvallend aan alsof hij op zijn neus wilde timmeren.
'Wilt u nu eens vertellen waarom u dergelijke onnozele vra…'
Verder kwam hij niet, want zijn vrouw draaide zich naar hem toe en tikte hem op zijn arm. 'Guido. Het… het is nog altijd tien uur.'
'Eén over tien om precies te zijn', zei Ceulemans.
De man blikte naar zijn polshorloge, waarschijnlijk omdat hij vermoedde dat het horloge van zijn vrouw was stilgevallen. De verbaasde blik in zijn ogen maakte duidelijk dat ook zijn uurwerk hetzelfde tijdstip aangaf.
De man keek Ceulemans niet langer agressief, maar verbaasd aan.
'Wat is er in godsnaam aan de hand?'
Ceulemans vatte heel rustig samen wat er de afgelopen dagen was

gebeurd. Nadat de hoofdinspecteur het hele verhaal uit de doeken had gedaan, bleef de familie verslagen zitten. Ze wilden en konden het niet geloven, maar zagen in dat het wel de waarheid moest zijn.

Ceulemans liet hen even op adem komen en beende naar het bed van Arthur. 'Hoe gaat het met je grootvader?' vroeg Ceulemans aan Marissa.

'Volgens de dokter scheelt er niets met hem. Hij is gewoon het bewustzijn verloren. Waarschijnlijk door oververmoeidheid.'

Ceulemans viel met de deur in huis. 'Uw grootvader, hij... hij beweerde dat hij in de mist met uw grootmoeder heeft gepraat.'

Marissa staarde de hoofdinspecteur doordringend aan, maar leek helemaal niet verbaasd.

Marissa ging op de stoel naast het bed van haar grootvader zitten. 'Wat gebeurt er toch allemaal?' zuchtte ze. 'Eerst dat gedoe met die ring en dan zijn miraculeuze genezing.'

Ceulemans wist niet waar Marissa het over had.

'Mijn opa had kanker. Hij was ongeneeslijk ziek. Maar na het onderzoek door de dokters deze week, bleek het gezwel verdwenen. De dokters stonden voor een raadsel.'

'Mmm...' bracht Ceulemans uit. Hij wist niet hoe hij op deze informatie moest reageren. 'En wat zei je over een ring?'

'Een paar dagen geleden liet mijn grootvader mij de trouwring van mijn grootmoeder zien. Ik was kwaad omdat hij die had bijgehouden na haar dood, want ik wist dat mijn grootmoeder ermee begraven wilde worden. Mijn grootvader wilde me nog iets zeggen, maar hij zweeg toen ik ervan uitging dat hij de ring had gepakt vóór mijn grootmoeder begraven werd. Maar misschien... misschien heeft hij dat helemaal niet gedaan.'

'Je bedoelt dat...'

'...dat ze hem de ring pas onlangs heeft gegeven', maakte Marissa de zin af.

Ze beseften allebei hoe belachelijk het klonk.

'Moema wil dat poepa bij haar komt, nietwaar, Barbie?' zei het dochtertje van Marissa plots.

Ceulemans keek naar het kleine meisje dat de barbiepop omhelsde.

Het had hem niet eens verbaasd indien de pop zou antwoorden.

4

Ceulemans zat onderuitgeschoven in de brede sofa in het kabinet van de burgemeester. Hij moest even op adem komen. Van de statige houding die hem kenmerkte wanneer hij in functie was, bleef weinig over. Zijn ogen gleden over de verschillende schilderijen die de wanden decoreerden en hechtten zich vast aan het schilderij waarop een wit paard was afgebeeld dat door een veld galoppeerde. Het torste een demonische ruiter met grote, zwarte poelen als ogen.

Ceulemans moest ongewild denken aan een van de ruiters van de Apocalyps. In een of ander dwaas gesprek had hij opgevangen dat de ruiters van de Apocalyps een paard hadden bereden en dat elk paard een andere kleur had. De ruiter op het witte paard werd door sommigen aanzien als de antichrist, anderen beweerden dan weer dat het om Christus ging.

Ceulemans wilde helemaal niet aan de Apocalyps denken. Hij geloofde enkel in harde feiten, in de realiteit, al was die momenteel ver zoek.

Niets klopte. Alle theorieën waarmee men kwam aandraven, bevatten leemtes ofwel waren ze beter geschikt voor een script van een B-film. Zijn EMP-theorie hield hij nog steeds in het achterhoofd, al begon hij er ook steeds minder geloof aan te hechten. De vreemde mist en de verdwijningen hadden hem al van zijn stuk gebracht, maar na het stilvallen van alle horloges en de vreemde gebeurtenissen met de vader van Marissa en het gezin uit Meise, wist hij totaal niet meer wat hij moest denken. Hoe meer hij nadacht, hoe meer hij in de war raakte.

Ceulemans wreef met zijn handen hard in zijn ogen, om de slaap en de nare gedachten te verdrijven. Dat lukte niet en toen hij dacht aan Arthur die beweerde dat hij zijn vrouw in de mist had gezien, hoorde hij plots iemand bulderen van het lachen.

Ceulemans keek rond om na te gaan wie er zo zat te gieren, maar kwam al vlug tot het besef dat hijzelf aan het lachen was.

'Wat is er zo grappig?' vroeg Marinus die achter zijn bureau zat en opkeek van zijn computerscherm.

Ceulemans blikte gegeneerd in de ogen van Marinus. 'Niets. Ik denk dat ik gek word.'

De burgemeester zuchtte. 'Dat denken we allemaal, beste hoofdinspecteur.'

Marinus wees naar zijn scherm. Ceulemans kon niet zien wat erop stond.

'Ik ben hier een eigenaardig lijstje aan het samenstellen. Is je tijdens je gesprekken met sommige mensen niet iets opgevallen?'

Ceulemans bleef Marinus strak aankijken omdat hij geen idee had waar die op doelde.

'Nou', ging de burgemeester verder, 'mij viel op dat heel wat mensen vreemde dingen ervaren.'

'Je bedoelt zoals die handelsreiziger die plots pleinvrees kreeg?'

'Precies', zei Marinus goedkeurend. 'Ik dacht dat ik gek aan het worden was omdat ik het gevoel had dat ik sprongen maakte in de tijd, maar nu blijkt toch dat er heel wat mensen geconfronteerd worden met vreemde dingen.'

'En daarvan heb je een lijstje gemaakt?'

De burgemeester knikte. 'Kom maar eens kijken.'

Ceulemans richtte zich moeizaam op. Zijn botten kraakten alsof hij in een paar minuten vijftig jaar ouder was geworden. Hij ging achter de burgemeester staan en keek naar het scherm. Hij knipperde even met zijn ogen omdat hij verblind werd.

> - *Fobieën: agorafobie, gephyrofobie,*
> *astrafobie, aërofobie, agyrofobie, algiofobie,*
> *batofobie, bogyfobie, nyctofobie, pluviofobie,*
> *thanatofobie...*
> - *Miraculeuze genezingen: kanker, doofheid,*
> *blindheid...*
> - *Andere: tijdsprongen, toekomst voorspellen,*
> *solipsisme...*

De lijst was nog een heel eind langer en besloeg bijna twee volle pagina's.

Ceulemans verlegde zijn blik van het scherm naar de burgemeester.

'Solipsisme?' vroeg hij omdat hij het woord niet kende.

'Had ik tot gisteren ook nog nooit van gehoord. Het is het gevoel dat je als enige echt bent en al de anderen om je heen niet echt bestaan maar bedenksels zijn van jezelf. Jeanne Luypaert maakte daar gisteren melding van bij dokter Van Gierde. Ze zegt dat ze al een week lang in staat is om haar omgeving te veranderen. Ze kan mensen en voorwerpen doen verdwijnen en weer terugbrengen, alsof ze een god is.'

'Dat ze dan die verrekte mist maar laat verdwijnen', lachte Ceulemans vreugdeloos, waarna hij zuchtend het hoofd schudde. 'Dit wordt met de seconde krankzinniger.'

De burgemeester sprak hem niet tegen.

'En wat worden we wijzer van deze lijst?' vroeg Ceulemans.

'Niet veel', gaf de burgemeester toe. 'Maar het heeft me toch aan het denken gezet. Heel wat mensen kregen met deze verschijnselen te maken nog voor de mist er was.'

'En dan?'

'Nou ja. Misschien zijn we te hard gefocust op de mist. Misschien is de mist niet de oorzaak van de situatie. Misschien is het nachtblauw een gevolg van iets wat daarvoor gebeurd is.'

'En wat mag dat dan wel zijn?'

'Dat is een heel goede vraag.'

'Veel vragen, weinig antwoorden. Niets nieuws onder de zon.'

'Weet je, Ceulemans, die tijdsprongen, daar heb ik ook mee te kampen gehad.'

De hoofdinspecteur zei daar niets op, maar keek de burgemeester fronsend aan.

'Het vreemde is dat die plots ophielden.'

Het verwachte spervuur van vragen bleef uit. Ceulemans staarde hem stilzwijgend, maar belangstellend aan.

'Ik heb erover nagedacht en eerst vermoedde ik dat de sprongen stopten toen we de mist zagen. Maar dat is toch niet de reden, denk ik nu.'

Nog steeds geen reactie.

'Ik denk dat de tijd voor mij weer gold vanaf het ogenblik dat we de mist inreden en merkten dat het plots vijf uur later was. Want toen besefte ik dat de wetten van de tijd voor niemand meer bestonden en dat ik helemaal niet ziek was.'

'Ja. En dan?'

'Vind je het niet vreemd dat ik de tijdsprongen niet meer heb, gewoon omdat ik tot het besef kom dat er inderdaad iets mis is met de tijd?'

'Nou ja, misschien wel. Je bedoelt dus eigenlijk dat je de tijdsprongen zelf hebt gestopt?'

'Ja, onbewust wel, ja.'

'Ik zie niet direct in wat ons dat verder helpt.'

'Ik ook niet, beste hoofdinspecteur, ik ook niet. Maar ik denk wel dat het een belangrijk gegeven is.'

5

In de refter van de gemeenteschool kon niemand de slaap vatten door het aanhoudende gekrijs van Ayla dat zo scherp en luid klonk dat het zelfs door de buitenmuren drong.

Aaron vroeg zich af of ze zich niet beter terugtrokken zodat de mensen konden slapen, maar Kathleen wilde niet weg. Ze wilde zo dicht mogelijk bij andere mensen vertoeven, bij lotgenoten. Waar moesten ze trouwens heen?

Aaron vond het vreemd dat er nog niemand op hen was afgestapt om te zeggen dat ze moesten ophoepelen. De solidariteit was groot. Er waren zelfs al verscheidene mensen komen vragen of ze iets konden doen voor Ayla en enkele vrouwen hadden de baby in hun armen gewiegd, maar niemand was erin geslaagd haar ook maar één ogenblik tot rust te brengen.

Lana, een buurvrouw van Aaron en Kathleen, stapte op hen af. Aaron vreesde even dat de norse buur hen zou vragen om de refter te verlaten, maar ze vroeg enkel of ze van enig nut kon zijn.

Aaron bedankte de vrouw en zei dat het wel zou gaan.

Lana keek hem doordringend aan, twijfelde even, maar zei toen toch wat er op het puntje van haar tong lag. 'Ik weet hoe je Ayla kan gelukkig maken.'

Kathleen veerde op van de blauwe sportmat waarop ze lag. 'Hoe bedoel je?'

'Je gaat niet graag horen wat ik te zeggen heb.'

Kathleen en Aaron keken hun buurvrouw afwachtend aan.

'Wel, ik weet hoe Ayla zich voelt. Net zoals zij huil ik al een aantal dagen. Diep vanbinnen voel ik een gemis, alleen weet ik niet wat. Net zoals Ayla kan ik door niets of niemand getroost worden.'

Aaron en Kathleen wisselden een veelbetekenende blik en de handelsreiziger keek de vrouw nadenkend aan. Lana leek te gaan bezwijken onder de stress.

'Jullie denken vast dat ik gek geworden ben, maar geloof me, ik ben gewoon bang. Het is te zeggen, ik was bang. Maar nu weet ik wat me te doen staat. Ik moet het nachtblauw in.'

'Er is geen weg uit de mist', zei Aaron.

'Ik zoek ook geen uitweg. Ik wil gewoon overgaan.'

Overgaan. Ze had net zo goed het woord *sterven* kunnen gebruiken, want dat was wat ze blijkbaar bedoelde.

Aaron schudde het hoofd. 'De burgemeester heeft gezegd dat we niet in...'

'Denk je echt dat onze burgemeester weet wat goed is voor ons? Hij weet zelf niet wat er gaande is. Ik weet dat het blauw op me wacht.'

'Maar er zijn al zoveel mensen verdwenen in de mist!' waarschuwde Kathleen.

'Dat is net wat ik nu ook ga doen. Ik ga me laten opgaan in het blauw. En als jullie echt zó houden van jullie dochtertje, dan laten jullie mij haar meenemen.'

Aaron drukte Ayla tegen zijn borstkas, bang dat de vrouw haar zou vastgrijpen en ontvoeren. Ayla hield even op met wenen alsof ze het antwoord van haar ouders afwachtte.

'Laat ons met rust!' sprak Kathleen hard.

'Als dat jullie beslissing is, dan spijt het me voor jullie dochtertje.'

Terwijl de vrouw de dubbele deur van de refter uitliep, begon Ayla opnieuw te krijsen. Aaron en Kathleen hielden hun buurvrouw niet tegen. Dat was zinloos. Haar besluit stond vast.

Aarons handen trilden, want in tegenstelling tot Kathleen, had hij opgemerkt hoe Ayla even was gestopt met wenen toen de vrouw had voorgesteld om haar mee te nemen in de mist. Aaron had zijn dochtertje zien lachen bij het horen van dit voorstel, alsof ze het had begrepen en heel graag mee wou in het nachtblauw.

6

Ceulemans en Marinus zaten in gedachten verzonken in het bureau toen de gsm van de burgemeester overging.

'Hallo?'

Marinus hield zijn blik strak op de computer gericht terwijl hij naar de stem aan de andere kant van de lijn luisterde. De op elkaar geperste lippen vertelden Ceulemans dat er geen goed nieuws werd meegedeeld.

Toen de burgemeester het gesprek afsloot met een druk op de rode toets keek hij Ceulemans diep in de ogen. 'Het ziet er niet goed uit, hoofdinspecteur.'

Ceulemans wilde vragen wat er aan de hand was, maar er kwam geen klank uit zijn keel.

'Blijkbaar is het een en al chaos daarbuiten. Heel wat inwoners rennen de mist in omdat ze denken dat daar de verlossing wacht.'

Ceulemans drukte zijn handpalmen hard op zijn slapen, streek met zijn vingers door zijn korte haren en begaf zich samen met de burgemeester naar buiten.

De situatie was erger dan Ceulemans had verwacht. Samen met de burgemeester zag hij hoe honderden mensen, die uit alle richtingen kwamen gelopen, naar de mistbank stormden alsof hun leven ervan afhing. Sommigen schreeuwden onsamenhangende dingen, terwijl anderen zich in stilte door het nachtblauw lieten omhelzen.

Vrienden, kennissen en familieleden smeekten hun dierbaren bij hen te blijven of probeerden hen met bruut geweld te stoppen, maar het had geen zin. Wie zich had voorgenomen om de mist in te lopen liet zich door niets of niemand tegenhouden en sloeg iedereen van zich af.

Sinds het stilvallen van de tijd hadden heel wat mensen het nachtblauw opgezocht, maar dit was totaal anders. Dit was een soort van massahysterie. De burgers doken de nevel in alsof daar de verlossing wachtte. Op het gezicht van diegenen die naar de mistbank holden, lag een gelukzalige uitdrukking, alsof ze de weg naar God hadden gevonden. Ze trokken zich niets aan van het geschreeuw van hun geliefden die achterbleven.

Marinus was fier geweest op zijn inwoners omdat ze in zo'n bizarre en bedreigende situatie zo kalm waren gebleven, maar nu bleef er van die sereniteit niets meer over. De overweldigende emoties hadden de ratio overwonnen. De burgemeester zag dat ook schepen Van Meirdeghem als een gek over de straat holde. Als een rugbyspeler die naar de benen van zijn tegenstander duikt, wierp hij zich in het nachtblauw. De schepen, die in de meeste situaties logisch redeneerde, leek nu krankzinnig.

'Hij lokt iedereen de mist in. Straks blijft er niemand over.'

Ceulemans blikte opzij en zag dat zuster Rita naast hem was komen staan.

'Wie?' vroeg hij, hoewel hij meer dan een vaag vermoeden had over wie de kloosterzuster het had.

'De duivel.'

Een ogenblik verwachtte Ceulemans dat zuster Rita zou beginnen citeren uit de Bijbel, maar dat deed ze niet.

'Moeten we hen niet tegenhouden?' vroeg Marinus aan Ceulemans.

'Hoe?'

'Jouw agenten… ze kunnen toch…'

Marinus zweeg. Het was overduidelijk dat het onmogelijk was om de mensen te stoppen.

'Doe dan toch iets, verdomme!' schreeuwde een man van middelbare leeftijd naar de burgemeester terwijl hij zijn vrouw achternaholde. De breedgebouwde man werkte als metser bij een bouwbedrijf en hoewel hij minstens vijfmaal sterker moest zijn dan zijn tere echtgenote, kon hij haar niet tegenhouden. Ze gooide hem met zichtbaar gemak van zich af.

'Het enige wat we kunnen doen is bidden tot de Heer', fluisterde zuster Rita.

In de verte zagen ze hoe de tengere vrouw werd opgeslokt door de mist. Haar gespierde wederhelft holde haar achterna, maar dook nog geen minuut later weer op uit de mist. De man viel huilend op zijn knieën.

'Hij neemt alleen diegenen die hij tot zich roept.'

Ceulemans en Marinus keken verbaasd naar Rita.

'Hoe bedoel je?' vroeg Ceulemans.

'Alleen de vrouw werd opgeslokt. Niet de man.'

Ceulemans dacht aan zijn rit in de mist met de burgemeester en de korpschef. Waarom was alleen de korpschef verdwenen? Dat was een vraag die hem al een hele tijd kwelde.

'De duivel is iets van plan', zei zuster Rita op onheilspellende toon. 'En om zijn plan te doen slagen heeft hij bepaalde mensen nodig. Niet ons allemaal. Het ergste moet nog komen.'

'Ik weet niet hoe het nog erger kan worden', vroeg Ceulemans zich hardop af. Op het ogenblik dat hij het laatste woord uitsprak, ging zijn gsm. Met een flauw gevoel in zijn maag beantwoordde hij de oproep.

'Ceulemans.'

'Dennis!' De stem van zijn schoonmoeder. 'Er is iets mis met Marie-Rose. Ze... ze wil de mist in.'

7

Ceulemans scheurde door de mistige straten en moest meer dan één bruusk stuurmanoeuvre uitvoeren om onbezonnen rennende mensen niet van de baan te rijden. De burgers leken zich van geen gevaar bewust. Hun enige bekommernis was zo snel mogelijk de mistbank te bereiken. Het tafereel van mensen die in drommen over straten zwierven, deed Ceulemans even denken aan zombies uit horrorfilms, maar hij besefte dat die vergelijking helemaal niet opging omdat er op het gezicht van levende doden doorgaans geen gelukzalige uitdrukking ligt. Alsof ze het mysterie van het leven – en misschien ook wel van de dood – ontrafeld hebben.

De hoofdinspecteur nam niet de kortste weg naar huis, maar reed langs de baan naast het kanaal omdat hij anders vreesde in de mistbank verzeild te raken. Als hij door de mist werd opgeslokt, had Marie-Rose niets meer aan hem.

Ook in de gedeelten van Laarbeke die nog niet waren ingenomen door de mistbank – en veel waren er dat niet – begonnen afzonderlijke nevelslierten het zicht te belemmeren. Ceulemans moest heel wat rondtoeren voor hij de wegen vond die hem toegang verschaften naar het huis van zijn schoonmoeder.

Hij vroeg zich af waarom Marie-Rose naar het nachtblauw wilde, maar die vraag werd uit zijn hoofd verdreven door de angst dat ze al door de mist was opgeslokt. De onzekerheid maakte hem bijna gek.

Zijn auto kwam piepend tot stilstand vóór het huis van zijn schoonmoeder. Hij sprong uit en deed geen moeite om het portier dicht te slaan. In een oogopslag merkte hij dat de mistbank de huizen in deze buurt heel dicht was genaderd.

Met zijn vuist beukte hij op de voordeur.

Zijn schoonmoeder opende ze meteen, alsof ze met de deurklink in haar hand had staan wachten tot hij arriveerde. Ze zag er verward en radeloos uit. Haar gezicht was lijkbleek, ze beet nerveus op haar onderlip.

'Waar is ze?'

'Ik heb… heb haar opgesloten in haar kamer. Ik… ik kon niet anders.'

'Daar heb je goed aan gedaan.'

Ceulemans was zijn schoonmoeder dankbaar dat ze zo alert had gereageerd. Blijkbaar had ze aangevoeld dat er iets helemaal mis was met Marie-Rose. Het was haast een wonder dat ze op tijd had kunnen ingrijpen.

Terwijl Ceulemans de trappen opholde, hoorde hij het gebonk en het gekrijs.

'Doe open! Laat me hier verdomme uit!' schreeuwde Marie-Rose hysterisch, waarbij haar stem oversloeg.

Ondanks of misschien wel omwille van de vreemde omstandigheden drong het pijnlijk tot Ceulemans door dat hij met heel zijn hart en ziel van zijn vrouw hield. Hij wilde haar niet verliezen. Hij was van plan om voor haar te vechten.

Toen hij op de overloop aankwam, vloog de houten kamerdeur uit haar hengsels. Marie-Rose kon onmogelijk zoveel kracht hebben dat ze de eikenhouten deur kon vernielen en toch had ze het gedaan.

Marie-Rose stond in het deurgat als een geest die uit is op wraak, haar haren in wilde pieken, haar witroze nachtkleed om haar heen flapperend. In haar ogen lag de vastberadenheid die hij ook bij vele andere burgers had gezien. Ze wilde de mist bereiken, al moest ze er haar leven voor geven. De spieren van haar armen en benen waren gespannen. Op haar voorhoofd klopte een dikke ader, die Ceulemans nog nooit had opgemerkt. Marie-Rose deed hem denken aan iemand die onder de drugs zat en een slechte trip had.

Hoewel zijn vrouw dertig centimeter kleiner was dan hij en heel wat fijner was gebouwd, besefte Ceulemans dat hij het niet gemakkelijk zou krijgen om haar te stoppen.

Marie-Rose keek Ceulemans verbeten aan. In haar ogen lag geen blik van herkenning. Hij miste ook de gelukzalige uitdrukking die hij bij de anderen had gezien, maar waarschijnlijk kwam dit doordat ze gehinderd werd terwijl ze naar het nachtblauw ging.

Ceulemans had genoeg ervaring met hysterische personen om in te zien dat hij haar niet zomaar moest proberen vast te pakken. Hij zette een stap opzij toen ze de trap wilde afdalen en haalde dan in een routineuze beweging zijn handboeien boven. Hij greep de pols van zijn echtgenote vast, harder dan hij eigenlijk wou, en voor ze iets kon ondernemen, zaten haar handen vast in de boeien. Ze liet zich op de grond vallen en schopte als een gek in het rond. Ceulemans kon haar nog net op tijd opzijduwen zodat ze niet van de trappen donderde.

Hij legde de wild om zich heen schoppende Marie-Rose over zijn schouder en droeg haar de trappen af. Beneden legde hij haar in de sofa en probeerde op haar in te praten en haar te kalmeren, maar ze leek geen letter te verstaan van wat hij uitkraamde.

'Laat me, verdomme! Ik moet naar de mist! Het nachtblauw... het wacht op me!'

Aangezien praten niets uithaalde, richtte hij zich tot zijn schoonmoeder, die er bedremmeld bij stond, haar armen over elkaar geslagen en beschermend tegen zich aangedrukt.

'Een touw! Haal me een stevig touw!' commandeerde Ceulemans.

De moeder van Marie-Rose liep onmiddellijk het huis uit. Een minuut of twee later kwam ze terug met een dik koord uit het tuinhuis.

Ceulemans bond de benen van zijn echtgenote vast terwijl ze hem vervloekte en bespuwde. Nadat ze vastgeknoopt was, bleef ze kronkelen als een slang en tekeergaan als een duivelin.

'Is dat echt nodig?' vroeg zijn schoonmoeder.

'Ik wil niet het risico lopen dat ze ervandoor gaat.

'Wat is er toch allemaal aan de hand?'

'Kon ik daar maar op antwoorden.'

'Wat nu?'

Ceulemans antwoordde niet, maar beende naar de keuken, blikte door het raam, en keerde terug naar de woonkamer. 'Jullie gaan met mij mee. De mistbank kan je huis elk moment bereiken. Ik zet je af in de sporthal.'

'En Marie-Rose?'

'Ik verzin wel iets.'

Zijn schoonmoeder nam plaats naast Ceulemans terwijl hij zijn bijna stuiptrekkende vrouw op de achterbank legde. Ze spartelde zo hevig dat ze eraf donderde. Ceulemans nam niet de tijd om haar er weer op te leggen, maar stapte in en reed richting centrum. Hij nam de weg waarlangs hij gekomen was. In die korte tijdspanne had de mist nog meer straten en velden ingepalmd.

Ceulemans stopte de wagen vóór het politiekantoor, stapte uit en haalde Marie-Rose uit de wagen.

'Wat ben je van plan?' vroeg zijn schoonmoeder.

'Ik sluit haar op in een cel. Dan kan ik haar boeien en koorden losmaken. Een agent zal haar bewaken.'

'Ik weet niet of dat wel een goed idee is.'

Ceulemans ging daar niet op in, maar droeg haar over zijn schouder naar het politiebureel. Hij wist zelf ook niet of dit de best mogelijke actie was, maar hij wist niet wat hij dan wél moest doen.

'Laat me eruit! Hoerenjong!' schreeuwde Marie-Rose toen Ceulemans de celdeur acher haar afsloot. Haar gezicht was rood van woede en het schuim stond op haar lippen.

Ceulemans moest denken aan een scène uit *The Exorcist* waarin een priester de duivel uit een klein meisje probeert te drijven. Hij vroeg zich af of zuster Rita toch niet dichter bij de waarheid zat dan hij vermoedde.

8

Omdat de kerk niet langer een mogelijk toevluchtsoord was, had zuster Rita zich teruggetrokken in de kapel in de Dahliastraat, niet ver van het cultuurcentrum. Ze zat daar moederziel alleen. De mensen waren tot de conclusie gekomen dat bidden niets opleverde en hadden hun geloof even snel weer laten varen als ze het hadden omarmd.

Zuster Rita stak een kaarsje aan. Ze wist ook wel dat het branden van een kaarsje de wereld niet kon redden, maar uit de handeling putte ze toch enige troost. In tegenstelling tot de andere inwoners van Laarbeke had zij God nog niet opgegeven en ze zou dat ook nooit doen.

Haar twee collega's, zuster Mariann en zuster Magdalena, hielpen mee in de sporthal om de mensen op te vangen. In andere omstandigheden zou zuster Rita hen bijgestaan hebben, maar nu voelde ze dat dit haar roeping niet was. Het was haar taak haar visioenen op een correcte manier te interpreteren om alsnog vele mensenlevens te redden.

Zuster Rita ging op de voorste rij zitten en keek rond in de kapel. Het interieur kon haar zoals steeds bekoren en tot rust brengen. Het kleine portiekaltaar was bekroond met een afbeelding van de Heilige Geest in de gedaante van een duif en de noordermuur was versierd met prachtige uit hout gesneden afbeeldingen van engelenkoppen.

Toen zuster Rita's blik over de engelen zwierf, werd het haar plots zwart voor de ogen. Een donkere duisternis waarvan ze het bestaan nooit had durven vermoeden slokte haar volledig op.

Ze proefde roet, het lag op haar tong, kroop in haar keel en oren en benevelde haar. Even dacht Zuster Rita dat ze aan het sterven was, maar voordat ze die gedachte kon aanvaarden, stormden de beelden op haar af en lieten één voor één een diepe indruk na. Net zoals vorige keer zag ze de beelden niet voor haar geestesoog, maar was het alsof ze gevangenzat in de driedimensionale projecties, alsof ze het personage was in een film waarop ze geen invloed kon uitoefenen.

Grauwgrijze wolken waaruit een bliksemschicht als een gekartelde tong flitst. De donder die gepaard gaat met de flits, doet heel de wereld om haar heen daveren. Steeds meer wolken komen haar richting uitgedreven. De wolken worden steeds donkerder en zijn na een tijdje zó puur zwart dat ze vreest dat ze, zoals bij het begin van het visioen, door de duisternis zal worden opgeslokt. In de wolken duiken gezichten op. Vage beelden, maar ze herkent heel wat inwoners uit Laarbeke onder wie de burgemeester en de hoofdinspecteur. Allemaal gezichten van mensen die nog niet door het nachtblauw zijn opgeslokt. Honderden gezichten. De meeste kent ze, maar niet allemaal. Ook van diegene die ze niet kent, beseft ze dat ze nog in Laarbeke aanwezig zijn.

Dan vervagen de gezichten om uiteindelijk te verdwijnen.

Het volgende beeld is dat van de reusachtige vogel, die ook al eerder is opgedoken in haar visioenen. Een brede, meterslange, sterke vogel, die slalomt tussen de bliksemflitsen. De vogel komt dichter dan ooit. Ondanks de schrik probeert Rita het gigantische dier beter te bekijken om te achterhalen wat voor soort vogel het is.

Ze hoort het diepe, brommende geluid dat uit zijn keel ontsnapt. Zijn vleugels houdt hij stijf uitgestrekt naast zich. Zijn ogen schitteren.

Op het ogenblik dat hij rakelings over haar scheert, bukt ze zich uit angst dat zijn klauwen haar zullen grijpen om haar mee te nemen naar zijn nest waar enorme verschrikkingen te wachten staan. Maar dan merkt ze dat de vogel helemaal geen klauwen heeft.

Het is helemaal geen vogel, gaat het door haar heen. En die wetenschap doet haar inzien welk gevaar hen bedreigt.

God, wat heeft ze zich vergist!

9

Nadat Ceulemans zijn schoonmoeder naar de sporthal had gevoerd, was hij van plan terug te keren naar de burgemeester, maar onderweg bedacht hij zich. Hij gooide het stuur om en reed met zijn wagen in de richting van het politiekantoor. Dit was het moment om zijn plicht als hoofdinspecteur van de politie even aan de kant te schuiven. Hij moest zich bekommeren om Marie-Rose en haar doorheen deze moeilijke periode loodsen.

Hij was in gedachten verzonken en daarom zag hij de figuur die uit de nevelsluiers opdook, pas op het laatste nippertje. Zijn voet schoot naar de rem en de auto stopte een dertigtal centimeter vóór de gestalte.

Ceulemans sprong uit zijn auto en zag dat de vrouw die hij bijna omver had gereden, zuster Rita was. Als een angstig hert stond ze gevangen in het schijnsel van de lichten. Ze drukte haar handen tegen haar wangen en haar mond vormde een 'O' van schrik en verbazing. 'Het spijt me... Ik had je niet zien afkomen...'

Ceulemans legde troostend een hand op de schouder van de kloosterzuster. 'Het is oké. Gaat het met jou?'

Zuster Rita keek Ceulemans gespannen aan en schudde het hoofd. 'Ik heb een visioen gehad. Ik moet naar de burgemeester.'

'Ik breng je wel', bood Ceulemans aan hoewel hij veel liever naar zijn vrouw was gereden. Maar iets in de blik van zuster Rita vertelde hem dat ze belangrijke informatie had. En Ceulemans was bereid zich aan elke strohalm vast te klampen om de bevreemdende situatie uit te klaren.

Onderweg naar de burgemeester sprak zuster Rita niet, maar staarde haast wanhopig door het zijraampje terwijl het mistige landschap aan haar voorbijtrok.

'Zuster Rita', zei de burgemeester toen Ceulemans en de kloosterzuster het bureau binnenwandelden. In zijn stem klonk enige vrees door omdat hij meteen besefte waarom de zuster naar hem kwam.

Marinus liet hen allebei plaatsnemen in een zeteltje en ging rechtover hen in zijn bureaustoel zitten. Zowel de burgemeester als de hoofdinspecteur keken zuster Rita afwachtend aan, maar die staarde zenuwachtig naar haar trillende handen alsof ze daarop het toekomstbeeld nogmaals kon zien. Haar bloeddoorlopen ogen keken na een tijdje schichtig op naar de burgemeester.

'Ik heb weer een visioen gehad', zei zuster Rita overbodig. Ze beefde.

De burgemeester knikte haar bemoedigend toe.

Zuster Rita zocht de juiste woorden. Toen ze die niet vond, veerde ze op en begon door het bureau te ijsberen, in de hoop dat dit de woordenstroom op gang zou brengen.

'In één van de visoenen die ik heb gehad, kwam een reusachtige vogel voor. Hij vloog door de lucht en wierp zijn schaduw over Laarbeke.'

Zuster Rita keek naar de burgemeester als om na te gaan of hij begreep wat ze vertelde. Toen ze zag dat hij aan haar lippen hing, zette ze haar relaas verder. 'Ik besefte onmiddellijk dat die vogel een belangrijk element was, maar ik wist niet in welk opzicht.'

Ze draaide haar hoofd in de richting van de hoofdinspecteur en toen ze zag dat ook die aandachtig luisterde, ging ze verder.

'Nu weet ik dat wel. En ik weet ook dat ik mij vergist heb. Wat ik gezien heb in mijn visioen, was helemaal geen vogel.'

Zuster Rita ging voor het raam staan. Het sombere grijs had haast heel de omgeving in zijn greep.

'Wat ik gezien heb, was… een vliegtuig.'

Ze liet dit laatste woord door de lucht zinderen, alsof ze verwachtte dat de burgemeester en de hoofdinspecteur hierop zouden reageren, maar die bleven roerloos zitten. Ceulemans en Marinus zagen niet in waarom het van belang was dat de kloosterzuster een vliegtuig had gezien in een toekomstbeeld.

De zuster stapte weg van het raam en keek hen allebei in één oogopslag aan. 'Ik weet wat er met het vliegtuig zal gebeuren. Dat heb ik gezien in mijn laatste visioen. Vanavond om één minuut over tien zal het hier in Laarbeke neerstorten!'

Dan liet zuster Rita zich zuchtend op één van de stoelen neerzakken, alsof er een zware last van haar schouders viel.

De burgemeester en de hoofdinspecteur keken zuster Rita verward aan alsof ze haar verhaal nog moest doen. Het verband tussen wat er momenteel gaande was in Laarbeke en het neerstorten van een vliegtuig was hen totaal onduidelijk.

'Je bedoelt dat het vliegtuig zal neerstorten omdat door de mist het zicht zo slecht is?' vroeg de burgemeester.

Rita schudde het hoofd terwijl ze zich opnieuw oprichtte omdat ze zich veel te onrustig voelde om te blijven zitten. 'Ik heb niet alle antwoorden, burgemeester. Ik wou dat ik die had, maar ik weet wel dat de mist niet de oorzaak is van de crash. Ik vermoed dat de mist een soort van voorbode is. Een voorbode van de ramp die te gebeuren staat.'

In de huidige omstandigheden wilde Ceulemans al waar hij in geloofde opzijzetten. Hij wilde geloven in duistere krachten en zelfs in marsmannetjes als het moest, maar wat zuster Rita vertelde, was gewoon te ver gezocht en klopte ook niet met wat er aan de hand was in Laarbeke. Hij uitte zijn bedenkingen dan ook onmiddellijk.

'Ik zie niet in wat dit te maken heeft met de vele verdwijningen en met de fobieën van de burgers. Ook begrijp ik het verband niet tussen het neerstorten van een vliegtuig en mijn vrouw die mij verdomme zou vermoorden om in de mist te geraken.

Zuster Rita schudde verontschuldigend het hoofd. 'Ik heb ook niet alle antwoorden, hoofdinspecteur. Ik kan alleen zeggen wat ik heb gezien.'

'Je zei zelf dat je eerst verkeerdelijk dacht dat het om een vogel ging', wierp Ceulemans op. 'Het is mogelijk dat je het ook nu niet bij het rechte eind hebt.'

'Deze keer ben ik ervan overtuigd. Geloof me. Het vliegtuig zal vanavond verongelukken boven Laarbeke.'

Ceulemans lachte overdreven luid. 'Ja, om één over tien. Dat kan dus op elk moment zijn, want het is hier verdomme elke seconde één over tien!'

De laatste woorden schreeuwde Ceulemans bijna uit en hij besefte dat hij de controle over zichzelf aan het verliezen was. Hij was verdomme aan het roepen tegen een kloosterzuster die alleen maar het beste met hen voorhad.

'Het spijt me, zuster', herpakte hij zich. 'Ik weet gewoon niet meer wat ik nog moet denken van dit alles.'

Zuster Rita schudde het hoofd om aan te geven dat ze zijn excuses aanvaardde.

De burgemeester dacht na over wat de zuster allemaal had gezegd en probeerde het te interpreteren. 'Waar het dus volgens jou op neerkomt, zuster, is dat we een soort van collectief voorgevoel hebben dat er iets ernstigs gaat gebeuren. Dat zou niet alleen de angsten van de mensen verklaren, maar ook de reden waarom velen zo snel mogelijk weg willen uit Laarbeke.'

'Ja. En ik denk ook dat God of één of andere kracht ons wil waarschuwen voor wat er te gebeuren staat. Vandaar mijn visioenen.'

'Zelfs al heb je gelijk, zuster', zei Ceulemans, 'dan vraag ik me nog af hoe je visioenen ons kunnen helpen. Ten eerste is het op elk ogenblik één over tien 's avonds en weten we dus niet wanneer het vliegtuig zal neerstorten. Ten tweede kunnen we niet evacueren omdat die verdomde mist ons insluit. Dat brengt me dan ook meteen bij een volgende vraag: als het vliegtuig hier inderdaad gaat crashen, waarom houdt die mist ons dan tegen?'

Het bloed trok weg uit het gezicht van zuster Rita. Lijkbleek zakte ze neer op een stoel. De hoofdinspecteur had gelijk. Ook al wisten ze wat er te gebeuren stond, ze konden er niets tegen doen. Het was net zoals met dokter Merens en Kris. Zuster Rita had hun dood ook niet kunnen voorkomen.

'Waar zal het vliegtuig neerstorten?' vroeg de burgemeester.

Zuster Rita haalde de schouders op. 'Dat... dat weet ik niet precies. Het visioen stopte net voor het neerstortte.'

'Wat kan betekenen dat het misschien niet crasht!' wierp de burgemeester op.

'Ik hoop dat je gelijk hebt', zei ze, maar uit haar toon bleek dat ze ervan overtuigd was dat de burgemeester geen gelijk zou krijgen.

10

Van zodra Ceulemans te horen kreeg dat Arthur bij zijn positieven was gekomen, was hij samen met de burgemeester en zuster Rita naar de ziekenboeg in de gemeenteschool gereden. Vanaf het ogenblik dat Arthur was opgedoken uit de mist, had Ceulemans het gevoel dat de oude man meer wist over wat er aan de hand was. Daarom ook dat de hoofdinspecteur had gevraagd hem onmiddellijk te verwittigen wanneer de oude man ontwaakte.

Alle drie gingen ze naast Marissa aan Arthurs bed staan. De ogen van de oude man waren dicht, zijn ademhaling was zwak maar regelmatig. Hij leek opnieuw in een diepe slaap. Het dochtertje van Marissa was op haar vaders schoot in slaap gevallen.

'Gaat het met hem?' vroeg Ceulemans aan Marissa.

'Volgens de dokters wel.'

'Heeft hij iets gezegd toen hij wakker werd?'

Marissa schudde het hoofd. 'Hij heeft even rond zich gekeken en is daarna opnieuw in slaap gevallen.'

Ceulemans had zin om de oude man bij zijn schouders vast te pakken en hem stevig door elkaar te schudden zodat hij zou ontwaken en zijn verhaal kon doen.

Zuster Rita en Marissa gingen op een stoeltje naast Arthurs bed zitten. Marinus en Ceulemans cirkelden rond het bed, als aasgieren rond hun prooi, klaar om de man met vragen te bestoken wanneer hij ontwaakte. Ze moesten heel wat geduld oefenen, maar uiteindelijk opende Arthur zijn ogen.

Het was zuster Rita die het als eerste opmerkte. Ze veerde op van haar stoel en geen seconde later stonden ze alle vier bij het bed van Arthur. De oude man zag er heel wat rustiger uit dan daarstraks, besefte Ceulemans. De flitsende angst in zijn ogen was afgenomen, alsof hij zich had verzoend met wat er was gebeurd.

'Gaat het, opa?'

Arthur kon amper glimlachen naar zijn kleindochter. Zijn mondhoeken gingen wel omhoog, maar zijn ogen lachten niet mee, waardoor zijn gezichtsuitdrukking eerder een grimas was. Zijn hoofd ging van links naar rechts en zijn blik haakte zich uiteindelijk vast in die van de burgemeester.

'Burgemeester', sprak hij. Hij begreep niet waaraan hij de eer te danken had dat de burgervader aan zijn bed stond. Zij stem was zwak.

'Ik haal je iets te drinken', stelde zuster Rita voor.

'We zijn hier omdat we denken dat je meer weet over wat er aan de hand is in Laarbeke', zei Marinus. 'Je zei dat je je vrouw gesproken hebt in de mist.'

Omdat Arthur niet in staat was om te knikken, sloot hij kort zijn oogleden, waarmee hij aangaf dat dit inderdaad het geval was.

'En je vertelde me dat ze gezegd heeft wat er aan de hand is', zei Ceulemans.

Weer knipperde de man met zijn oogleden.

Zuster Rita kwam met het glas water terug. Arthur nipte voorzichtig, hij verslikte zich en hoestte.

'Louisa was er echt', zei hij in een poging de anderen ervan te overtuigen dat hij niet had gedroomd.

'We geloven je', zei Ceulemans hoewel hij daar niet zo zeker van was. Maar na wat er allemaal al was gebeurd, was hij bereid om zowat alles voor waar aan te nemen.

'Wat heeft ze gezegd?' vroeg Marinus.

'Ze… ze wist wat er aan de hand was. En ze wilde me weer bij haar.' Arthur blikte in de vier paar ogen die hem aanstaarden. 'Ze wou ook jullie helpen en alle andere inwoners. Dat probeert ze steeds opnieuw. Maar we slagen er niet in over te gaan.'

'Waar heb je het over, opa? Ik snap het niet.'

'Er valt weinig te begrijpen, Marissa. Er valt alleen maar te aanvaarden.'

'Wat moeten we aanvaarden?' vroeg zuster Rita.

'We moeten aanvaarden dat we niet meer tot de levenden behoren.'

11

De vier gezichten boven Arthur staarden hem onbegrijpend aan. Geen van hen begreep waar de oude man het over had.

Arthur tastte naar zijn achterbroekzak, maar kon er niet hij. Zijn kleindochter schoot hem ter hulp en viste er met haar vingertoppen een verfrommeld papiertje uit.

'Louisa zei dat jullie mij zouden geloven als jullie dit lezen. We moeten een uitweg zoeken uit deze eeuwige cirkel. Deze keer moet het lukken!'

Arthur leek nu echt wel te raaskallen, maar Ceulemans voelde aan dat de oude man maar al te goed wist waarover hij het had. Net zoals de anderen keek de hoofdinspecteur Marissa bemoedigend aan om voor te lezen wat op het papiertje stond.

Marissa schraapte haar keel terwijl ze naar het papiertje staarde.

'Het... het is een artikel dat uit een krant is gescheurd. Het Nieuwsblad. Maar dat... dat kan niet... Het is een artikel uit de krant van over vijf jaar!'

Iedereen staarde Arthur vragend aan maar hij reageerde niet. Allemaal vroegen ze zich af hoe ze een artikel in handen konden hebben van een krant die pas over vijf jaar gedrukt zou worden. Was de datum verkeerd gedrukt?

Marissa probeerde het artikel hardop te lezen en hoewel haar ogen over de zinnen gleden, slaagde ze er niet in om ook maar een klank uit te brengen. Terwijl ze het artikel in stilte las, vloeide het bloed weg uit haar gezicht en toen ze het volledig had gelezen, liet ze zich op een stoel zakken en staarde voor zich uit.

Het krantenartikel viel uit haar handen en dwarrelde op de grond. Ceulemans raapte het op en las het luidop. Toen hij aan het einde van het artikel was, was zijn stem verstikt door emoties en nog nauwelijks verstaanbaar.

"Herdenking terreurdaad"

LAARBEKE - Morgen vindt in Laarbeke de herdenking plaats van de terreurdaad van 5 jaar geleden plaats. Toen werd Laarbeke op maandag 21 juni om 22:01 getroffen door een terroristische actie die door geen enkele organisatie werd opgeëist. Terroristen, vermoedelijk van Al-Qaeda, hadden Brussel als doelwit uitgekozen omdat de president van Amerika en de eerste minster van Engeland op bezoek waren voor een congres over internationale terrorismebestrijding. Doordat Brussel en omgeving zich op het ogenblik van de aanslag in een onweerszone bevonden, heeft de terreuractie niet Het Europees Parlement in Brussel, maar wel de kleine gemeente Laarbeke getroffen. Het militaire vliegtuig met de explosieven aan boord stortte neer in Laarbeke na een blikseminslag. Van de 3.511 inwoners van Laarbeke lieten er 2.989 mensen het leven. 489 overleefden de crash en explosies. 33 inwoners verbleven op het ogenblik van de aanslag niet in hun gemeente. Het dodenaantal liep op tot 3.001 omdat ook 12 mensen van buiten de gemeente getroffen werden. De meesten hiervan bevonden zich op de autosnelweg die langsheen Laarbeke passeert. Zoals elk jaar gedurende de voorbije 5 jaar wordt ook morgen een plechtige herdenking gehouden voor de slachtoffers. Laarbeke is nog altijd de dodenstad van 5 jaar geleden en werd tot hiertoe nog niet opgebouwd. Sommigen zeggen dat dit ook nooit zal gebeuren en dat er een monument zal worden opgericht, andere bronnen bevestigen dat er momenteel al plannen zijn om de gemeente volledig herop te bouwen.

Nadat Ceulemans het krantenartikel had voorgelezen, ging iedereen stilzwijgend zitten.
Marinus merkte nauwelijks dat zijn gsm ging. In een routineus gebaar diepte hij de gsm uit zijn zak en nam op toen op het display de naam van zijn zoon verscheen.
'Paps... ik ben in het nachtblauw, paps... Dag, paps!'
Zijn zoon sloot het gesprek af.
'Theo!!!' schreeuwde Marinus met overslaande stem. Hij herhaalde de naam van zijn zoon tot zijn stem zó schor was van het roepen dat hij niets meer kon uitbrengen.

12

Arthur aanschouwde het gezicht van zijn kleindochter, de burgemeester, de hoofdinspecteur en de kloosterzuster. Hij wist maar al te goed welke storm van gevoelens door hen heen joeg. Ook hij had de waarheid niet kunnen bevatten toen Louisa hem ermee had geconfronteerd, een waarheid die zo onwerkelijk was dat ze de grens tussen illusie en realiteit even had doen vervagen, om hem vervolgens genadeloos hard te treffen in het diepste van zijn ziel.
Sinds het overlijden van Louisa had Arthur voortdurend het intense verlangen naar de dood gevoeld. Alhoewel hij zijn geloof in God verloor, was hij blijven geloven in een hiernamaals waar hij met Louisa verenigd zou worden.
Het schijnbare realisme van de wereld om hem heen hield de echte waarheid verborgen, namelijk dat hij al vijf jaar als een schim, een dolende ziel rondzwierf op een plaats die noch de aarde noch de hemel was.
Arthur gaf er niet om dat hij dood was want hij had er al heel lang naar verlangd. Wat hem wel met wanhoop vervulde, was dat hij zijn geliefde niet had kunnen volgen omdat hij net zoals alle anderen die waren omgekomen tijdens de terreuraanslag, was blijven ronddwalen in een tussengebied, een schemerzone, een vacuüm tussen hemel en aarde,

waar psyches ronddolen die zich niet realiseren dat ze het eeuwige voor het tijdelijke hebben gewisseld.

Louisa had hem opgezocht om hem te kunnen begeleiden naar het hiernamaals, maar Arthur zag het licht niet waar Louisa heenging. Het enige wat hij had kunnen waarnemen was de stroperige, nachtblauwe mist. Hij was er hopeloos in verdwaald, waardoor het contact tussen hem en de geest van zijn overleden vrouw niet in stand was gebleven.

Louisa had hem verteld dat ze nu al vijf jaar lang probeerde hem te redden uit de schemerzone, maar dat ze er nog nooit in was geslaagd. Net zoals alle verongelukte inwoners van Laarbeke slaagde Arthur er niet in over te gaan naar het hiernamaals. Al die tijd doolden ze rond in dat tussengebied om steeds opnieuw hun dood en de week die daaraan voorafging, te herbeleven. Ze zaten gevangen in een helse gesloten cirkel, een *loop*, als hamsters renden ze rond in een rad en ervaarden ze steeds opnieuw de week van hun dood.

Hun enige hoop was Louisa. Zij was de enige variabele factor, de enige die door haar liefde voor Arthur en voor haar kleindochter en achterkleindochter een weg had gevonden naar de schemerzone waar de zielen ronddwaalden, maar door haar verbondenheid met het nirwana was het voor haar haast onmogelijk om in te grijpen. Toch had ze Arthur beloofd dat ze het nooit zou opgeven en dat ze zou blijven proberen om hem en de anderen de weg naar het licht te tonen.

Arthur had de uitleg van Louisa aanvaard maar niet begrepen. Hoe was zoiets te bevatten?

Na de eerste shock, die nog lang bleef nazinderen in zijn kern, had hij Louisa overstelpt met vragen. Eén voor één probeerde ze die te beantwoorden, maar omdat de antwoorden van metafysische aard waren, deden ze alleen maar nieuwe vragen rijzen.

Hoe kon hij ooit ten volle begrijpen dat de burgers van Laarbeke die door de mist waren opgeslokt, diegenen waren die de terroristische aanslag hadden overleefd? Hoe kon hij ooit begrijpen dat de inwoners die de ramp hadden doorstaan en zich schijnbaar onder de dolende zielen hadden begeven, daar niet echt waren geweest, maar dat de overlevenden slechts overgebleven indrukken waren, hersenspinsels van de doden, illusies waaraan ze zich vastklampten om de wereld die teloorging, te herschapen en als realiteit te doen overkomen? Arthur had de nodige tijd gehad om over alles na te denken en hoewel hij dacht dat hij alles stilaan begon te begrijpen was dat niet zo. Hoe kon hij inzien dat hij eigenlijk niet echt aanwezig was in de ziekenboeg, dat er zelfs helemaal geen ziekenboeg was, maar dat hij samen met de andere dolende zielen slechts de illusie van een verlorengegane wereld in stand hield? Rondom hem was enkel het niets en hijzelf maakte daar deel van uit. Maar hoe kon je in godsnaam een fragment zijn van het niets?

13

Zuster Rita wist niet of ze de waarheid aankon waarmee het krantenartikel haar confronteerde. Haar geloof in God ging gepaard met een geloof in het hiernamaals, een hemel waar de zielen van de overleden personen verder bleven bestaan. Maar dit was de hemel niet. Samen met de andere slachtoffers van de ramp bevond ze zich al vijf jaar lang in een duister gebied waar ze gevangenzaten in de verwrongen realiteit van het verleden.

De beelden die zij als visoenen had ervaren, waren helemaal geen visioenen geweest. Het auto-ongeluk van dokter Merens en de dood van Kris waren geen voorspellingen maar herinneringen.

Door het lezen van het krantenartikel was zuster Rita in één klap haar geloof kwijt, en daarmee meteen ook haar enig houvast. Eigenlijk zou ze zich door de toestand waarin ze zich nu bevond, gesterkt moeten voelen in haar geloof, want al die jaren had ze geloofd in een leven na de dood en dat bleek nu ook echt te bestaan. Maar moest dit goddeloze bestaan het leven na de dood voorstellen?

Zuster Rita zag nu in dat het leven een cirkel is. Een cirkel van geboren worden, leven en weer sterven. En hoewel deze visie niet sterk afweek van de manier waarop de kloosterzuster tijdens haar leven het universum had beschouwd, was er één beduidend verschil: nu besefte ze dat deze cirkel op zichzelf bestond en dat er geen grote macht zoals God was die deze cirkel in stand hield. Indien er zielen de weg kwijtraakten, was er geen hogere Macht om hen de goede richting te wijzen.

Zuster Rita vroeg zich af of de toestand van de slachtoffers van Laarbeke een uitzondering of de regel was. Belandden alle mensen die bruusk aan hun einde kwamen, in een schemerzone? Wat was er gebeurd met de zielen van de mensen die waren omgekomen tijdens 11 september 2001? Wat met diegenen die het leven lieten als gevolg van een tsunami of een andere natuurramp? Wat als je zelfmoord pleegde?

Zuster Rita voelde haar benen wegzakken en ze wist niet of het daadwerkelijk haar benen waren die door de emoties al hun kracht verloren of dat het eindelijk tot haar doordrong dat ze al vijf jaar lang geen materiële vorm meer had.

14

Burgemeester Marinus kon zijn gedachten niet meer ordenen na het horen van het krantenartikel en het korte telefoongesprek met zijn zoon. Een chaos van betekenisloze tekens en symbolen raasde door zijn brein. Hij probeerde ze te ontcijferen maar had er de kracht niet voor. De burgemeester ging zitten op de koude vloer om tot rust te komen, zijn hoofd verborgen in zijn handen. De rust kwam niet tot hem, er kwamen alleen steeds meer onherkenbare tekens en karakters.

Hoewel hij de karakters niet kon decoderen, voelde hij dat ze allemaal te maken hadden met de dood. De dood. Dat was het enige waar hij wel nog kon aan denken.

Hoe kon hij rondlopen en met anderen communiceren als hij dood was? Hoe kon hij zich zo vervuld van leven voelen als hij dood was?

Dit moest een nachtmerrie zijn. Eén of andere krankzinnige droom die zijn brein hem opdiste. Maar het was geen nachtmerrie en Marinus besefte dat maar al te goed.

Voortdurend had hij geprobeerd om de vreemde wereld om zich heen te verklaren: het nachtblauw, de afzondering van de buitenwereld, de verdwijningen en het stilvallen van de tijd. Pas nu besefte hij dat hij de waarheid in zichzelf had moeten zoeken.

Marinus was niet bedroefd omdat hij dood was. Tijdens zijn egoïstische leven had hij zichzelf altijd op de eerste plaats gesteld, maar nu hij het leven vaarwel moest zeggen, besefte hij wat echt belangrijk was: zijn zoon.

Waarom had hij Theo niet vaker gezegd dat hij van hem hield? Waarom waren ze samen niet wat meer naar het voetbal gaan kijken, een sport waar ze allebei zo konden in opgaan? Waarom had hij niet wat meer interesse getoond in het leven van zijn zoon? Waarom had hij zo denigrerend gedaan over de zachte aanpak van Theo in de politiek? Nu besefte hij dat dit de juiste aanpak was. Maar nu was het te laat.

Hoewel Marinus zich dit en nog veel meer beklaagde, werd hij niet droevig. Hij voelde zich plots zelfs gelukkig worden want Theo's laatste woorden kregen nu een heel andere betekenis.

Paps, ik ben in het nachtblauw, paps. Dag paps.

Theo had de ramp overleefd.

Het drong tot Marinus door dat zijn zoon nooit werkelijk hier was geweest, maar dat zijn herinneringen aan Theo hem tot leven hadden gewekt in deze vreemde tussenwereld.

Marinus weende van geluk.

15

Het gevoel dat eerst in het binnenste van Ceulemans opwelde, was ongeloof. Dit kon niet waar zijn. Hoe kon hij de wereld om zich heen nog waarnemen als hij dood was?

Ceulemans had nooit geloofd in leven na de dood. Dood was dood. Je lichaam werd verbrand in een oven en het enige wat dan van je overbleef, was as. Ofwel kwam je in een kist onder de grond terecht waar de insecten, wormen en ander ongedierte je cel voor cel opvraten.

Een geest bestond niet apart van het lichaam. Dat was altijd zijn stelling geweest, maar nu werd die volledig gekelderd. Een mens wilde tijdens zijn leven geloven in wat het hem het makkelijkste maakte om verder te leven. Sommigen hadden behoefte aan een god en anderen, zoals hij, vonden hun troost in het atheïsme.

Ceulemans had moeite om deze realiteit te omhelzen. Hij vroeg zich af hoe hij in contact had kunnen treden met de levenden, namelijk met de Cel Vermiste Personen. Het antwoord kwam haast even snel als de vraag. Het was een illusie. Hij had het zich allemaal ingebeeld. Hij had hen nooit aan de lijn gehad.

Ceulemans lachte luidop. Hij was nooit iemand geweest die graag filosofeerde. Speurwerk naar misdaden, dat wel, maar geen speurwerk naar de zin van het leven, dat liet hij liever aan anderen over. En ook nu, na zijn leven, wilde hij daar niet mee beginnen.

Ceulemans schrok op toen zijn mobieltje overging. Terwijl hij opnam, bedacht hij hoe zinloos deze handeling was, net zoals alle andere handelingen trouwens. Er was helemaal geen gsm. En hij had niet eens een hand om op te nemen.

'Ja?' vroeg hij afwachtend.

'Hoofdinspecteur?'

'Ja?'

'Met Sanders. Je vrouw... ze... ze is verdwenen uit haar cel.'

Tranen welden op achter zijn ogen en het waren geen tranen van verdriet, maar van geluk.

'Hoofdinspecteur?'

'Je moet je geen zorgen maken, Sanders', zei Ceulemans met een verstikte stem. 'Ik ben nog nooit zo blij geweest.'

Zonder zich druk te maken om wat de overleden Sanders hierop wilde zeggen, sloot Ceulemans het gesprek af. Tranen vloeiden over zijn wangen. Hij kon zich niet herinneren wanneer hij voor het laatst had geweend, maar nu leken al de tranen die zich in de loop der jaren hadden opgestapeld, een weg naar buiten te zoeken.

De enige persoon van wie Ceulemans ooit echt had gehouden, leefde nog. Dat was het enige wat van belang was. Hij vroeg zich af hoe Marie-Rose het nu, vijf jaar na zijn dood, stelde. Met heel zijn hart hoopte hij dat ze gelukkiger was dan vroeger. Maar dat zou hij nooit te weten komen.

16

Kathleen was een van de eersten die in de refter het krantenartikel onder ogen kreeg. Het was alsof ze een klap in het gezicht kreeg. Ze wilde, mocht, kon dit niet geloven. En toch besefte ze dat het waar was. Het verklaarde alles. Het verklaarde ook waarom haar dochtertje in het nachtblauw wilde. Ayla leefde nog op aarde. Het was enkel de gedachte aan haar die ervoor zorgde dat ze hier bij hen was.

Hun dochtertje was ondertussen al vijf jaar. Ze zou zich haar ouders niet eens herinneren. Ze was nog veel te klein toen zij en Aaron stierven. Kathleen vroeg zich af wie haar dochtertje had opgevoed, maar ze had er geen idee van. Haar ouders zouden die taak waarschijnlijk niet op zich genomen hebben en haar schoonmoeder was er niet toe in staat.

De tranen sprongen Kathleen in de ogen en toen ze opzijblikte, zag ze dat Aaron, die het artikel na haar las, er net zo kapot van was als zij.

Kathleen was niet bedroefd omdat ze dood was, maar wel omdat ze van hun dochtertje waren gescheiden. Aaron wiegde Ayla in zijn armen, maar Kathleen besefte maar al te goed dat ze zich enkel vastklampten aan een illusie.

Aaron wist welke gedachten door het hoofd van zijn vrouw raasden. Diezelfde gedachten hielden ook hem in de greep.

Wie zorgde er voor Ayla? Hoe kon ze een gelukkig leven leiden als ze haar ouders niet kende?

Aaron omklemde Ayla steviger dan ooit voorheen. Hij ging met haar op de grond zitten en wiegde haar zachtjes heen en weer, alsof ze stervende was. Kathleen vlijde zich naast hem en samen knuffelden ze Ayla, die onophoudelijk bleef wenen.

Toen een langgerekte, mistige tentakel van het nachtblauw zich via een kier een weg baande door de zaal, kwam er een abrupt einde aan haar geween. Ayla lachte toen ze het nachtblauw zag en voelde aankomen. Kathleen en Aaron wilden hun dochtertje niet loslaten. Ze hielden haar stevig vast, terwijl de tranen in hun ogen blonken.

Kathleen en Aaron schreeuwden toen het nachtblauw zich rondom het tere lichaampje van hun baby wikkelde, maar het bracht niets op want de mist loste samen met haar op.

Op het ogenblik dat Ayla verdween uit de armen van haar ouders, weerklonk buiten een oorverdovende explosie.
En dan was er niets meer.

Maandag 21 juni (dag 8)

1

Ondanks het onweer, dat gepaard ging met fikse regenbuien, was de opening van de jaarlijkse zomerkunsttentoonstelling in het cultuurcentrum van Laarbeke zoals altijd een drukke bedoening. Tientallen kunstliefhebbers schaarden zich rond de schilderijen, aquarellen, beeldhouwwerken en andere kunstwerken die de plaatselijke kunstenaars hadden ontworpen. Ook de lokale pers was elk jaar aanwezig om het nieuws te verslaan.

Wie uiteraard niet mocht ontbreken, waren de leden van het college van burgemeester en schepenen en de gemeenteraadsleden. Onder het mom dat ze de plaatselijke kunstenaars een warm hart toedroegen, bezochten ze de expositie, al was hun enige ware doel stemmen ronselen. Zulke gelegenheden waren daarvoor uiterst geschikt.

Alle bestuursleden waren aanwezig, met uitzondering van Van Meirdeghem, schepen van welzijn, sport en jeugd, want die was geveld door de griep. Dat was een enorme meevaller voor burgemeester Marinus omdat het thema van de kunsttentoonstelling dit jaar 'jeugd' was. Voor de eerste keer in de zestien jaar dat de tentoonstelling werd gehouden, mochten ook de leerlingen van de scholen in Laarbeke in het cultuurcentrum tentoonstellen. Daarom was er deze namiddag om twee uur al een eerste officieuze opening geweest waarop de scholen waren uitgenodigd.

De jeugdige kunstwerkjes stonden in schril contrast met de creaties van de beroepskunstenaars, wat bij velen de vraag opriep wanneer je nu precies van Kunst met een grote en kunst met een kleine 'k' kon spreken.

Marinus had samen met Van Meirdeghem en met de directeur van het cultuurcentrum voor dit thema geopteerd omdat de jeugd het toekomstige talent was dat op alle mogelijke manieren moest begeleid en ondersteund worden. Nou ja, dat was de officiële uitleg. De directeur van het cultuurcentrum deed het enkel om ook het 'gewone volk' naar de tentoonstelling te lokken en Marinus en van Meirdeghem deden het omdat ze wisten dat dit stemmen kon opleveren. Uit een onderzoek van de gemeentelijke sociale dienst bleek namelijk dat de jongere generatie in Laarbeke niet echt tevreden was met het beleid van het gemeentebestuur. Marinus had nog een dikke twee jaar de tijd vóór de verkiezingen. Tegen dan moest hij de jongere bevolkingsgroep aan zijn kant zien te krijgen. Hoewel ook kleuters en leerlingen uit de lagere school hun kunstwerkjes mochten uitstallen, was het Marinus vooral te doen om de leeftijdsgroep 14+. Deze tentoonstelling was dan ook maar een van de vele maatregelen om de doelgroep goedgestemd te krijgen. Het gemeentebestuur had een skateramp aangekocht, werkte een nieuw en beter fuifbeleid uit, had plannen voor een Kinder- en Jeugdraad en zou vanaf volgend jaar starten met 'De dag van de Jeugd'.

Deze namiddag had burgemeester Marinus de tijd genomen om met vele kinderen een woordje te wisselen en vanavond sprak hij de aanwezige jongeren aan. Hij toonde interesse in hun mening over politiek en in hun ideeën over maatregelen om het jeugdbeleid te verbeteren en uit te bouwen. Het was voor Marinus de perfecte gelegenheid om zijn plannen betreffende het oprichten van de Kinder- en Jeugdraad uit de doeken te doen. De aanwezige jongeren reageerden enthousiast. Ze vonden het *cool* dat hun burgemeester hen zou betrekken bij het beleid.

Marinus wist wel beter. Gemeentelijke adviesraden waren niet meer of niet minder dan wat het woord aangaf: adviesgevers. Ze konden voorstellen wat ze wilden, uiteindelijk hakte het college van burgemeester en schepenen de knopen door.

De openingsreceptie van de kunsttentoonstelling was om halftien gestart en om tien uur gaf de burgemeester zijn toespraak. Zoals altijd deed hij dat met de nodige flair. Hoe inhoudsloos sommige speeches ook waren, hij kon ze altijd op een boeiende manier verpakken. En dat was het waar het in de politiek om draaide: de vorm. De inhoud was van ondergeschikt belang.

Marinus posteerde zich achter het houten spreekgestoelte. In tegenstelling tot vele andere politici had hij geen blad of spiekbriefje nodig om zijn toespraak te houden. Hij schreef alle toespraken zelf en leerde ze uit het hoofd.

'Geachte collega's uit het college en de gemeenteraad', klonk het uit de luidsprekers. 'Geacht bestuur van het cultuurcentrum, geachte kunstenaars, beste vrienden. Ik ben verheugd hier vandaag aanwezig te kunnen zijn op de 16de editie van deze zomerkunsttentoonstelling. Hoewel het al jaren een grootse tentoonstelling is, wilden wij dit jaar ook de kleinsten in Laarbeke hun kunsten laten tonen. Daar... daarom...'

Marinus was even zijn tekst kwijt. Dat gebeurde hem haast nooit en als het toch eens voorviel, wist hij altijd onmiddellijk iets uit zijn mouw te schudden tot hij de draad weer oppikte. Maar nu was het alsof zijn hoofd plots leeg was. Hij wist niet eens meer wat hij hier stond te doen.

Een geroezemoes golfde door het publiek. De aanwezigen zagen dat er iets mis was met de burgemeester. Het geroezemoes zwol aan en nadat het een hoogtepunt had bereikt, werd het plots doodstil in de zaal.

Hoewel Marinus monden zag bewegen, hoorde hij niets meer. Hij greep naar zijn oren omdat het leek alsof hij van het ene op het andere moment doof was geworden.

Zoekend naar de juiste woorden, die ongrijpbaar in zijn hoofd rondzwierven, blikte Marinus naar de aanwezigen. Hij verwachtte priemende blikken, maar niemand staarde nog langer zijn richting uit. Allemaal keken ze opzij, naar achter of omhoog, alsof de toespraak hen helemaal niet kon boeien.

Het enige geluid dat Marinus plots hoorde, was het suizen van het bloed in zijn oren. Het ruisen nam toe in volume en pijnigde zijn hersens zó hevig dat hij zijn handen nog harder op zijn oren drukte.

Marinus dacht even aan een hersenbloeding, maar dan merkte hij dat ook alle andere mensen in de ruimte met een van pijn vertrokken gezicht de handen tegen de oren drukten. Op dat ogenblik besefte Marinus dat het geluid niet het suizen van zijn oren was maar dat het van buiten kwam. Het zoevende geluid zwol aan tot het nauwelijks te harden was.

Enkele mensen die bij het raam stonden, blikten naar buiten en schreeuwden onhoorbare woorden. Hun gezicht drukte onversneden doodsangst uit.

Marinus had er geen idee van wat er aan de hand was. Als een standbeeld, gehouwen door een van de aanwezige kunstenaars, bleef hij achter het spreekgestoelte staan. Ook de andere aanwezigen waren té verbijsterd om iets te ondernemen.

Opeens begon het hoge plafond te vibreren en een seconde later explodeerde het. Brokstukken cirkelden als reusachtige hagelstenen om de menigte heen. De mensen werden één voor één door de brokstukken getroffen en als nietige insecten tegen de grond gesmakt.

De genodigden kwamen nu wel in beweging en renden in paniek alle mogelijke richtingen uit. Diegenen die erin slaagden tot aan de uitgang te geraken, kregen de neerstortende muur over zich heen en werden verpletterd.

Een nanoseconde later bezweken ook de drie andere muren en het cultuurcentrum stuikte als een kaartenhuisje in elkaar.

Voor de hersens van Marinus de tijd kregen om het tafereel enige zin mee te geven, werden ze doorboord door een scherp, metalen, kunstig voorwerp.

Voor zijn ogen zich voorgoed sloten, zag hij de grote moderne, digitale klok die naar beneden stortte en de schedel van twee kinderen verbrijzelde. De klok wees 22:01 aan.

2

Zoals elke avond nam zuster Rita vóór het slapengaan de nodige tijd voor een gebed. Ze vertelde God wat ze die dag had meegemaakt. Rita besefte maar al te goed dat God niet het wezen was zoals iedereen het zich voorstelde. God was volgens haar geen oude, grijsbebaarde, wijze man, maar eerder een kracht die het universum in stand hield.

Het gaf haar een gerust gevoel om Hem te vertellen hoe haar dag was verlopen. Zuster Rita had geen familie met wie ze haar dag kon overlopen en de andere zusters wilde ze er niet mee lastigvallen.

Nadat zuster Rita haar belevenissen van de dag had uiteengezet, bad ze voor dokter Merens die in het ziekenhuis lag. Zijn leven hing aan een zijden draadje. Nadat hij de zusters sterkte was komen wensen na de dood van Bernadette, was zijn auto voor de deur van het klooster geramd door een vrachtwagen.

Na de bede voor dokter Merens bad ze voor de ziel van Kris, een leerling die een wespensteek in zijn keel niet had overleefd. Haar gedachten gingen ook uit naar de familie en vrienden van Kris, want een dergelijke tegenspoed zou zeker door de ouders nooit verwerkt kunnen worden en ze konden elk beetje steun best gebruiken.

Zuster Rita vergat ook de oude schooldirectrice Bernadette niet. Hoe zou ze haar boezemvriendin ooit kunnen vergeten? Tot haar eigen dood zou ze aan haar denken. Toch was ze blij dat God Bernadette eindelijk bij zich had geroepen, want haar slepende ziekte was onmenselijk geweest.

Na haar gebed, dat zoals altijd een dik halfuur in beslag nam, ging ze voor de commode staan om haar kleren uit te trekken. Op het ogenblik dat ze haar zwarte hoofdkap afzette, blikte ze in de spiegel en zag een grijze schim. Ze draaide zich geschrokken om en staarde door het raam van haar kamer maar zag buiten niets bijzonders. Het regende en donder en bliksem wisselden elkaar af.

Toen zuster Rita opnieuw in de spiegel keek, zag ze opnieuw de grauwgrijze schim, die achter het vensterraam zweefde. Het leek wel de schaduw van een gigantische vogel, die neerdaalde over Laarbeke.

Zuster Rita voelde aan dat er iets helemaal mis was en beende naar haar slaapkamerraam. Ze tuurde naar de donkere lucht en zag dat het geen reuzenvogel was die over Laarbeke neerdaalde maar wel een vliegtuig.

Het was geen lijntoestel, maar een middelgroot legervliegtuig. De neus was naar Laarbeke gericht. Zuster Rita hoopte dat het vliegtuig weer aan hoogte zou winnen en als een adelaar over Laarbeke zou zoeven, maar al vlug zag ze in dat het gedoemd was om neer te storten, het staartstuk stond in brand.

Zuster Rita sloeg de handen voor de mond toen het legervliegtuig achter het gemeentehuis, ergens in de buurt van het cultuurcentrum, crashte. Haar hart bevroor toen ze dacht aan de mensen die het leven zouden laten.

De oorverdovende klap werd onmiddellijk gevolgd door de knal van een explosie. Een zee van vuur golfde alle kanten uit en zette de hele omgeving in lichterlaaie.

Voor zuster Rita het goed en wel besefte, raasden de gloeiende vuurtentakels op haar af en barstte haar slaapkamerraam uiteen. Voor ze de pijn kon voelen van de glassplinters die haar ogen doorboorden, was haar lichaam al vergaan tot stof en as.

3

Arthur staarde naar buiten en dacht terug aan de reactie van zijn kleindochter toen hij had duidelijk gemaakt dat hij niet wilde starten met de chemotherapie en de bestraling die Dokter Van Gierde en de dokters uit het UZ hadden voorgesteld.

Volgens de dokters had Arthur enkel nog een kleine kans op genezing als hij onmiddellijk met de behandeling startte, want de darmkanker zaaide in sneltempo uit. Zijn kleindochter had zich aan die nietige kans vastgeklampt en hem beloofd dat ze hem zou bijstaan in zijn gevecht tegen de ziekte, maar Arthur had al lang voor zichzelf beslist dat hij zich niet zou laten behandelen. Het was tijd om te sterven.

Marissa was helemaal van de kaart geweest toen hij zijn beslissing had meegedeeld. Ze was op een stoeltje bij het raam in elkaar gezakt en had haar hoofd verborgen in haar handen, alsof ze zich wilde verstoppen voor wat het leven haar toebedeelde. Zo was ze een paar minuten onbeweeglijk blijven zitten waarna haar stemming opeens was omgeslagen. Ze was rechtgeveerd van haar stoel en kwaad geworden op haar grootvader omdat hij met lede ogen wilde toezien hoe de kanker hem verteerde.

Arthur had op haar ingepraat. Hij had haar erop gewezen dat de kans van slagen hoe dan ook heel klein was en dat hij niet wilde dat de bestraling en de chemotherapie hem nog zieker zouden maken. Marissa was blijven aandringen om de behandeling een kans te geven, maar Arthur had zich niet laten vermurwen. Hij was bij zijn keuze gebleven, ook al bezorgde dit Marissa heel veel pijn.

Zittend in zijn rolstoel keek Arthur naar de regendruppels die tegen de ramen tikten en een harmonieus maar triest melodietje tokkelden.

Een helle bliksemflits verlichtte de hemel, gevolgd door een rollende donder die Laarbeke deed daveren.

Een voorwerp tekende zich af tegen de donkere hemel, net boven het cultuurcentrum. Op het ogenblik dat Arthur zag dat het een vliegtuig was, kwam het in aanraking met het dak van het cultuurcentrum. Een oorverdovende explosie volgde en heel Laarbeke werd verlicht. Een tapijt van vuur ontrolde zich vanaf het cultuurcentrum naar alle richtingen en vorderde in een razend tempo, alles op zijn weg verwoestend.

Toen de vlammenzee zijn richting uitkwam, besefte Arthur dat hij niet langer enkel een toeschouwer was, maar een van de vele slachtoffers van deze ramp.

Arthur verwelkomde de dood, maar hij kon niet genieten van zijn laatste seconden op aarde, want zijn laatste gedachten gingen uit naar zijn kleindochter en achterkleindochter. Hij bad dat zij deze rampspoed zouden overleven.

4

'Je vrouw aan de lijn', deelde agent Sanders mee terwijl hij de telefoon omhoogstak.

Ceulemans' hart ging meteen sneller slaan.

'Schakel maar door', zei hij terwijl hij naar zijn bureau beende.

De hoofdinspecteur sloot de deur achter zich, ging zitten en staarde enkele seconden zenuwachtig naar de rinkelende telefoon terwijl hij zijn longen vol zuurstof zoog. Hij had al de hele dag op een telefoontje van Marie-Rose zitten wachten en hoopte dat ze hem belde om mee te delen dat ze terug naar huis kwam.

'Hallo, Marie-Rose', zei hij toen hij eindelijk opnam.

'Dag, Dennis.'

Haar stem klonk koel. Té koel, besefte Ceulemans. Dit was niet de stem van iemand die op zijn stappen terugkeerde. Niet de toon van iemand die de brokken in zijn relatie wilde lijmen.

'Ik ben blij dat je belt', zei Ceulemans en hoopte dat deze woorden haar minder afstandelijk zouden maken, maar ze ging er niet op in.

'Ik heb je eerst thuis proberen te bellen, maar omdat je er niet was, vermoedde ik wel dat je wéér langer zou werken.'

De nadruk op het woordje 'weer' ontging Ceulemans niet.

'Ja... het is hier nogal druk.'

'Mijn dvd-collectie staat nog bij je', zei ze kortaf. 'Mag ik die komen halen?'

'Euh... ja... natuurlijk.'

De teleurstelling drukte als een zware last op zijn borstkas, waardoor hij nauwelijks kon ademhalen.

'Ik heb nog een sleutel maar ik wilde niet zomaar je huis binnenlopen. Ik wilde het eerst even vragen.'

Wat het meest pijn deed, was dat ze sprak over *je huis* en niet langer over *ons huis*. Ook al had Ceulemans het huis gekocht, ze hadden het altijd als *hun huis* beschouwd. Betekende dit dat het echt voorbij was? Ceulemans schraapte zijn keel. 'Tuurlijk. Je komt langs wanneer je wilt.'

Hij wilde haar smeken om terug te komen, maar iets in zijn binnenste hield hem tegen, al wist hij niet wat. Trots? Mogelijk. Of misschien was hij gewoon bang dat als hij haar verzocht om terug te komen, ze hem zou zeggen dat het definitief voorbij was.

'Oké, bedankt. Ik denk dat ik ze morgenvroeg kom halen.'

Voor Marie-Rose kon opleggen, vond Ceulemans zijn stem terug.

'Hoe gaat het met je?'

'Goed...'

Hij hoopte dat ze ook zou vragen hoe hij het stelde, maar dat deed ze niet. Hij voelde aan dat ze dit telefoontje zo snel mogelijk wilde afhandelen, terwijl hij haar liefst zolang mogelijk aan de lijn had, al was het maar om haar stem te horen. Hij kon niets bedenken dat hij kon zeggen of vragen. Het probleem was dat er niets meer te zeggen of te vragen viel. Al een hele tijd niet meer.

'Ik moet nu gaan. Ik zie je nog wel.'

Met deze woorden sloot Marie-Rose het gesprek af. De nuchterheid in haar stem deed hem beseffen dat ze er helemaal geen behoefte meer aan had om hem te zien.

Met een leeg gevoel in zijn binnenste legde Ceulemans de hoorn op de haak. Om niet langer aan zijn vrouw te moeten denken, pakte hij het dossier vast van de dievenbende die in de rand van Brussel auto's stal. De zaak hield hem al bijna een maand bezig. Nu was er een doorbraak omdat één van de dieven was gefilmd door een beveiligingscamera van een bank. De korpschef had hem de opdracht gegeven de identiteit van de kerel zo snel mogelijk te achterhalen, maar hij was om vijf uur naar huis gegaan omdat hij naar eigen zeggen oververmoeid was. Ceulemans vroeg zich af waar de korpschef moe van kon worden, hij deed geen klop.

Terwijl Ceulemans het dossier doorbladerde, hoorde hij een overweldigende explosie boven het gebulder van de donder heen. Zoals bijna alle andere agenten veerde hij op van zijn stoel en liep het kantoor uit, maar voor hij de voordeur van het politiebureau kon bereiken, stond de hele wereld rondom hem in vuur en vlam. De hongerige vlammen likten gretig aan zijn lichaam en maakten een einde aan zijn leven voordat het neerstortende plafond dat kon doen.

5

Kathleen had op een overtuigende manier een Nederlandse klant binnengehaald en daarom gaf haar baas een feestje. Kathleen ging er samen met Aaron naartoe omdat ze zich verplicht voelde. Veel liever was ze gezellig thuisgebleven bij Ayla, die overnachtte bij Mariette omdat zij en Aaron geen babysit hadden gevonden.

Kathleen besefte maar al te goed dat haar baas geen moment zou geaarzeld hebben om haar te ontslaan indien ze de Nederlandse koekjesfabrikant niet had kunnen overtuigen om voor hun reclamebureau te kiezen. Ging het goed, dan was Anthony overdreven opgetogen en zat het even niet mee, dan ontsloeg hij al wie zich volgens hem voor geen tweehonderd procent had ingezet. Het was een wonder dat Kathleen het al zeven jaar lang uithield in het reclamebureau.

Kathleen loog dat ze zich niet al te goed voelde zodat ze samen met

Aaron om kwart voor tien al naar huis kon.

Ze hadden het er even over om Ayla op te halen bij Mariette, maar uiteindelijk beslisten ze dat het misschien geen goed idee was hun dochtertje zo laat nog uit haar bed te halen. Morgen werkten ze allebei en dan moest Ayla toch terug naar de opvangmoeder.

Kathleen schrok op toen een donderslag de hemel deed schudden. Aaron reed lachend het rivierbruggetje over. 'Bang van een beetje donder? Wist je dat een auto de veiligste plaats is als het onweert?'

'Als jij het zegt. Ik denk dat...'

Kathleen zweeg toen ze de vuurbol zag die de hemel verlichtte en hun richting uitkwam. Het oorverdovende geluid dat ermee gepaard ging, deed de grond daveren. Ook Aaron zag de vuurbal in een razend tempo op hen afkomen. Het gloeiende restant van de afgebroken staart van het legervliegtuig leek op een bolbliksem die door de onheilspellende onweerswolken was uitgespuwd.

Na een korte aarzeling trok Aaron aan het stuur in een poging de vuurbal te ontwijken. De houten reling bezweek onder de impact van de auto en de wagen reed van de brug. De wielen bleven draaien alsof ze grip zouden kunnen krijgen op de ijle lucht.

Aaron en Kathleen schreeuwden het uit terwijl ze in de diepte in stortten. Aaron was in paniek toen de bolbliksem op hen afraasde. Kathleen werd overmand door doodsangst voor de brug en de diepte. Op het ogenblik dat de neus van de auto tegen het wateroppervlak klapte, werd die getroffen door de immense bol van vuur. De wagen explodeerde. Honderden stukken metaal, brandende auto-onderdelen en smeulende lichaamsdelen belandden in de rivier.

Ayla schrok wakker in haar bedje en begon ontroostbaar te wenen.

maandag 14 juni (dag 1)

1

loop /lup/ (de(m.); -s) **1** looping **2** (comp.) reeks instructies
die wordt herhaald tot een bepaalde conditie wordt bereikt .
Eng (van Dale)

Maar wat als die bepaalde conditie nooit wordt bereikt…

2

Voor de eerste keer sinds de geboorte van Ayla, vier maand geleden,
bedreven Kathleen en Aaron de liefde. Na de zware bevalling had
Kathleen lange tijd geen zin gehad om te vrijen. Nu was het minnespel
bijna zo passioneel als acht jaar geleden, toen ze het na een romantisch
uitstapje voor de eerste keer met elkaar hadden gedaan. Aaron was
net zo voorzichtig en teder als toen. Ze waren wel een pak minder
rumoerig dan acht jaar geleden, want in de aanpalende kamer sliep
hun dochtertje en ze wilden het niet wekken.

Hoewel Kathleen zich volledig gaf, voelde ze dat ze, net zoals hun
eerste keer, niet zou klaarkomen. Het zou waarschijnlijk nog een hele
poos duren voor ze opnieuw een orgasme zou ervaren, maar dat deerde
haar niet. Ze genoot met volle teugen en zuchtte zachtjes onder de
liefdevolle aanrakingen van Aaron. Zijn vingers gleden over haar zij
naar boven toe en masseerden zachtjes haar borsten.

Plots scheurde een doffe donderslag de ijle lucht aan flarden, ratelde
fel met de slaapkamerrolluiken en maakte bruusk een einde aan het
minnespel. Aarons handen gleden van haar naakte lichaam, zijn lid
trok zich in een korte, krachtige beweging uit haar schede en zijn
zoetgeurende, bezwete lichaam gleed van haar borstkas.

3

Minuscule componenten van het welriekende parfum 'Le Narcisse bleu'
drongen Arthurs neusgaten binnen en veroorzaakten in de binnenhersenen
een kortsluiting waardoor een herinnering uit vervlogen tijden plots
opborrelde.
Louisa. 20 jaar. Jong en begeerlijk. Een koele bries streelt haar lange,
golvende, goudblonde haar. Haar lippen beroeren een glaasje donkerbruin
tafelbier. Haar intens blauwe ogen staren naar het meer dat zich voor hen
uitstrekt. Haar lange benen, gehuld in zwarte wollen kousen, zijn elegant
onder haar gevouwen.
De jonge Arthur ligt ruggelings op het picknicktapijt, zijn hoofd rust op
haar schoot.
Ze ondervinden geen hinder van de koude wind die hun huid geselt.
Daarvoor heeft Cupido's pijl hen te hard getroffen. De verliefdheid versnelt
hun hartritme, waardoor het bloed in een hoog tempo door hun aders
stroomt en hun lichaam opwarmt.
Louisa zet haar biertje op de onstabiele grasbodem en verbreekt de bezadigde
stilte. 'Ik hou van je, Arthur.'

4

Een bliksemstraal schoot uit het onheilspellende, ravenzwarte
wolkendek en miste op een haar na het dak van het modernistische
gemeentehuis. Het vervaarlijk grommen van de donder volgde enkele
seconden later en hield aan tot de met elektriciteit geladen wolken een
volgende schicht richting Laarbeke stuurden.
Vanuit haar kamer keek zuster Rita naar het imposante natuurverschijnsel.
Ze hield van de natuur die haar kracht aan de mensheid in al haar
glorie openbaarde. Het deed de mens beseffen dat hij niet het centrum
van het universum was, maar slechts een nietig, schriel stofje. Niet
dat ze orkanen, tsunami's, aardbevingen en andere verwoestende
natuurfenomenen toejuichte, integendeel, maar het was nu eenmaal

zó dat de kracht van de natuur de mens tot bepaalde inzichten kon brengen. Dat ging van het besef van de eigen onbeduidendheid tot de drang naar samenhorigheid. Een zonde dat bijna niemand inzag dat ook op momenten van welvaart en geluk de handen in elkaar moesten worden geslagen.

Het aardoppervlak bibberde tijdens de volgende donderslag. De donder was als het brullen van God tot de mensen dat zij zich moesten bekeren, de bolbliksems als Zijn ogen die brandden van woede omwille van hun ongeloof.

5

De analoge keukenklok boven de ijskast vertelde Marinus dat het vijf voor elf was. Hoewel hij uitgeput was, besloot hij nog tot halftwaalf door te lezen. Hij wilde absoluut de begroting van de gemeentelijke vzw's vandaag nog onder de loep nemen, maar zijn ogen konden zich niet meer vasthechten aan de getallen en letters op de bladen. Zijn oogbollen tolden rond in zijn oogkassen en hij slaagde er niet in om zijn pupillen op een vast punt te richten. Hij werd duizelig en klampte zich met beide handen vast aan de keukentafel om niet op de grond te donderen. Zodra hij zijn ogen dichtkneep om de tollende wereld uit te bannen, voelde hij zich stukken beter.

Een tweetal minuten bleef hij onbeweeglijk op het randje van de keukenstoel zitten, zijn rug gekromd, zijn handen de tafel omklemmend en zijn ogen krampachtig dichtgeknepen.

Toen hij zijn ogen opende, was het draaierige gevoel volledig weg. Voor Marinus de volgende zin las, viel zijn blik op de keukenklok. Hij moest wat overtollig speeksel doorslikken toen hij zag hoe laat het was. Zeven voor twaalf. Vóór de aanval van duizeligheid was het nog maar vijf voor elf geweest. Hoe was het mogelijk dat het plots een uur later was?

6

Marie-Rose verscheen in de veranda met een pan vol heerlijk geurende botersaus waarin een twintigtal scampi's ronddobberden. Dennis maakte een gemeend compliment over het aroma van de saus. Zijn vrouw nam dit compliment met een glimlach in ontvangst en het was de eerste oprechte glimlach van die avond. Dat zag hij aan de twinkeling in haar ogen, die deze keer niet het gevolg was van de wiegende kaarsvlammetjes.

Het was meteen ook de laatste keer dat Marie-Rose die avond zou lachen, want op het ogenblik dat haar glimlach wegsmolt, ging Dennis' gsm af. Plichtmatig stond hij op en diepte het mobieltje uit zijn jaszak. Op het display zag hij dat de oproep vanuit het politiebureau kwam. Hij durfde zijn vrouw niet aankijken, maar voelde haar ogen in zijn rug priemen. Het was niet moeilijk om te raden hoe ze hem aanstaarde. Kwaad, verbolgen, ten einde raad.

zondag 21 juni (5 jaar later)

1

De brede autoweg van Laarbeke, die parallel liep met het kanaal, was afgesloten voor alle verkeer. Alleen voetgangers konden tussen de rijen opgestelde nadars passeren.

Duizenden mensen, die hun auto's in aanpalende straten hadden geparkeerd, wandelden in de Kanaalstraat. Aangezien er geen doorgaand verkeer was, beperkten de voetgangers zich niet tot de voet- en fietspaden, maar ze liepen over de hele breedte van de weg.

Het was aangenaam warm, de lucht was helderblauw en de ondergaande zon dompelde Laarbeke in een oranjegele gloed. In andere omstandigheden zou het zomerse gevoel hoogtij gevierd hebben en zou er gelachen en plezier gemaakt worden, maar nu was de menigte onhoorbaar.

De bedrukte stemming bleek niet alleen uit de serene stilte, maar was ook merkbaar aan de bedroefde gezichten van de mensen, hun overwegend zwarte kledij en hun gebogen hoofden.

Alle voetgangers slenterden dezelfde richting uit, in eenzelfde tempo alsof ze een lijkweg volgden. Hun bestemming was de brede steiger waar boten op geregelde tijdstippen aan- en afmeerden. Vanavond zouden er geen schepen aanleggen, want alle economische en toeristische activiteiten waren stilgelegd voor de herdenking.

Op de kade stond een spreekgestoelte waarachter zeven vlaggenmasten waren opgesteld. Aan de masten hing de Europese, de Belgische, de Vlaamse, de Provinciale, de Laarbeekse, de Engelse en de Amerikaanse vlag. Deze twee laatste waren in Laarbeke bij andere plechtigheden nog nooit opgehangen, maar vandaag hadden de president van Amerika en de eerste minister van Engeland zelf verzocht om de vlag van hun land uit te hangen. Vanuit Engeland was er zelfs een delegatie notabelen naar het kleine Vlaamse dorpje Laarbeke vertrokken om de herdenkingsplechtigheid bij te wonen. De eerste minister kon wegens andere verplichtingen niet aanwezig zijn, maar had vandaag de wereld in een lange redevoering toegesproken om zijn sympathie en medeleven te betuigen.

Op de kade was niet genoeg plaats voor de duizenden aanwezigen.

Ze stonden tot een heel eind in de Kanaalstraat. Voor de pers, die vanuit alle streken van het land kwam en vanuit vele andere landen, was een plaats voorzien om hun microfoons en camera's op te stellen. Ook de journalisten en fotografen verstoorden de ingetogen sfeer niet en bleken er niet op uit om elkaar de loef af te steken om het beste beeld te schieten.

Iedereen staarde stilzwijgend voor zich uit en om vijf voor tien draaiden alle hoofden de richting uit van het spreekgestoelte waar de burgemeester van Brussel zijn toespraak begon. Hij was iemand die altijd langzaam en teder sprak, maar door de zes luidsprekers die in de omgeving van de kaai waren opgesteld, klonk zijn stem schel. De Brusselse burgemeester bedankte eerst iedereen voor zijn aanwezigheid en bracht de gruwel van vijf jaar geleden terug tot leven.

2

De woorden van de Brusselse burgemeester drongen nauwelijks door tot Marie-Rose. Samen met vele andere mensen die hun naaste hadden verloren, zat ze op een stoel aan de rechterkant van de kade.

Haar gedachten waren bij haar echtgenoot, die de ramp niet had overleefd. Ze kon zich met de beste wil van de wereld niet meer voor de geest halen waarom ze vijf jaar geleden bij hem was weggegaan. Nu had ze er alles voor over om weer samen te zijn met hem. Al vijf jaar voelde het leven niet meer als leven aan. Het was alsof ze voortdurend onder verdoving leefde. Haar gedachten en handelingen waren sloom en zonder levenslust. Het enige dat niet verdoofd werd, was de pijn. De pijn van het verlies snerpte voortdurend in haar ziel.

Al die jaren dat ze met Dennis getrouwd was geweest, had ze geprobeerd om hem voor zich te winnen. Ze had getracht om zijn politiewerk te minimaliseren in de hoop dat zij op de eerste plaats zou komen.

Pas na zijn dood had ze ingezien dat het politiewerk zijn leven was en dat ze hem daar volledig had moeten in steunen. Haar inzicht was te laat gekomen. De tijd kon je niet meer terugdraaien.

Marie-Rose had er de afgelopen vijf jaar vrede mee proberen te nemen dat ze Dennis had verlaten enkele dagen voor hij stierf, maar het was haar niet gelukt. Ze zou er nooit in slagen. Ze had hem nooit in de steek mogen laten. Iemand van wie je hield, daar bleef je bij voor de rest van je leven, ook al kwam je op de tweede plaats.

Waarom had ze er zo moeilijk vrede mee kunnen nemen dat zijn werk voor hem zo belangrijk was? Waarom had ze dat niet gewoon aanvaard? Marie-Rose besefte maar al te goed dat ze door bij Dennis weg te gaan, haar dood was ontlopen. Indien ze in hun huis was blijven wonen, zou ze op dat ogenblik waarschijnlijk televisie hebben gekeken.

Enkele weken na de terroristische aanslag had ze hun huis bezocht. Het was met de grond gelijk gemaakt. Er zou geen stofje meer van haar overgebleven zijn.

Doordat ze was ingetrokken bij haar moeder, had ze de ramp overleefd. Het huis van haar moeder stond niet ver van de grens met Sint-Wemmels-Rode en dat deel van Laarbeke was net zoals de kanaalzone grotendeels gespaard gebleven. Marie-Rose had vanuit het grote raam in de woonkamer uitzicht gehad op het inferno dat de rest van Laarbeke verwoestte, maar zelf was ze nooit in de gevarenzone gekomen.

Toch beklaagde ze zich dat ze Dennis had verlaten. Was ze maar samen met hem gestorven.

3

Om precies één minuut over tien uur 's avonds vroeg de burgemeester van Brussel drie minuten stilte. De stilte klonk luider dan welk lawaai ooit had kunnen klinken.

Mensen die iemand verloren hadden in de ramp, lieten hun tranen voor de zoveelste keer de vrije loop. Kinderen staarden afwachtend naar hun ouders tot die weer in beweging zouden komen. Fotografen lieten hun camera's ongebruikt en zelfs de meeuwen en andere vogels leken het beladen moment instinctief aan te voelen en staakten hun gekwetter.

4

De stilte werd om vier minuten over tien verbroken door de burgemeester van Brussel die een volgende spreker aankondigde: Schepen Van Meirdeghem. Van Meirdeghem was het enige lid van het Laarbeekse schepencollege dat de terroristische aanslag had overleefd. Al vijf jaar op rij woonde hij de herdenkingsviering bij, maar het was de eerste keer dat ze hem hadden gevraagd om de aanwezigen toe te spreken.

Als schepen van jeugd, welzijn en sport had hij tijdens zijn schepenambt niet veel toespraken moeten houden, ook al omdat de burgemeester de meeste toespraken zelf wenste te doen. Van Meirdeghem was daar nooit treurig om geweest omdat hij niet graag voor een groot publiek sprak. Hij had het al moeilijk gevonden tijdens gemeenteraadszittingen te reageren op de vragen van de oppositie. Ook nu had hij geen zin, maar hij had niet durven weigeren.

Graag had Van Meirdeghem verteld dat hij vrienden had verloren tijdens de ramp, maar de waarheid was dat hij geen vrienden was kwijtgespeeld. De gemeenteraadsleden, schepenen, burgemeester en secretaris waren collega's geweest, geen vrienden. Zijn echte vrienden en zijn familie woonden aan het kanaal en hadden de aanslag allemaal overleefd.

Van Meirdeghem zette een triest gezicht op en loog met tegenzin hoe diepbedroefd hij was over het overlijden van die mensen. De waarheid was dat hij blij was dat zijn dierbaren de ramp hadden overleefd. Hij schaamde zich wel voor deze gevoelens, maar kon er niets aan doen. Hij kon haast niet wachten tot hij het woord zou kunnen overdragen aan korpschef Verbaanderd.

5

Hélène zat versuft op een stoel tussen de andere mensen die iemand hadden verloren. De ramp had haar leven verwoest. De twee zelfmoordpiloten hadden haar drie kleine meisjes van haar afgenomen.

Meer dan vier jaar lang was Hélène kapot geweest van verdriet, maar de laatste maanden was dat verdriet omgeslagen in haat.

Een diepe, blinde haat.

Niet alleen tegenover de terroristen, maar tegenover alles en iedereen. Ze haatte de Brusselaars die de ramp aan zich hadden zien voorbijgaan en de overlevenden in Laarbeke omdat ze in tegenstelling tot haar kleine meisjes aan de dood waren ontsnapt. De diepste wrok voelde ze tegenover zichzelf omdat ze die avond niet thuis bij haar kindjes was geweest. Waarom had ze een stomme infovergadering over milieuproblematiek belangrijker gevonden dan haar dochters? Waarom had ze een babysit gevraagd in plaats van zelf voor haar meisjes te zorgen?

Hélène besefte dat ze haar drie dochters niet had kunnen redden, maar dan was ze tenminste samen met hen gestorven. Ze kon het niet aan dat ze alleen achterbleef.

Toen haar ouders waren gestorven, had ze een moeilijke periode doorgemaakt maar dat was niets in vergelijking met de slag die ze te verwerken kreeg na het bruuske overlijden van haar kinderen. Het hoorde niet dat een moeder of vader zijn kinderen overleefde. Het was onnatuurlijk, maar vooral hartverscheurend.

Hélène had een beslissing genomen. Het was geen impulsieve beslissing, ze had vijf jaar gehad om erover na te denken en sinds een paar maand stond haar besluit vast. Ze zou vannacht zelfmoord plegen. Precies vijf jaar na de dood van haar kinderen. De hel had lang genoeg geduurd. Hélène zou zich om middernacht ophangen aan het plafond van het kleine appartement dat ze huurde. Ze hoopte dat ze haar drie meisjes zou kunnen vergezellen, maar ze was daar helemaal niet zeker van, want eigenlijk had ze nooit geloofd in een leven na de dood. En na de ramp geloofde ze er helemaal niet meer in.

6

Lisa vond dat de toespraak van schepen Van Meirdeghem onecht klonk. Vals. Hij had geen naasten verloren, hoe kon hij dus weten hoe het aanvoelde om iemand in een dergelijke catastrofe te verliezen?

Lisa wist wel hoe het voelde. Het was alsof de wereld onder je voeten vandaan werd getrokken en je in een diepe duisternis tuimelde waar geen einde aan kwam.

Ze had haar ouders en broer verloren. Hun huis was een van de weinige in de Kanaalzone dat was vernield. Een brandende motor was op het dak gevallen en het huis was tot op de grond afgebrand. Alle hulp voor haar gezinsleden kwam te laat.

Lisa zelf was op dat ogenblik in een cafeetje geweest met haar vriend. Zij hadden allebei de aanslag overleefd, maar hun relatie niet. Na de begrafenis van haar ouders verhuisde Lisa meteen naar Frankrijk omdat ze zover mogelijk weg wilde van haar huidige leven. Daar trok ze in bij een vriendin die ze tijdens een vakantie in Parijs had leren kennen. Haar vriendin bekommerde zich met haar ouders meer om Lisa dan alle mensen uit haar naaste omgeving in Laarbeke hadden gedaan. Ze had er nog geen seconde spijt van gehad dat ze naar Frankrijk was verhuisd. Ze deelde ondertussen samen met haar Franse vriendin een kleine flat net buiten Parijs.

Haar vriend George had beloofd om haar te bellen, te schrijven en op te zoeken, maar in de voorbije vijf jaar had ze nog niet één keer iets van hem gehoord. Ook zelf had ze geen contact meer met hem gezocht. Hun relatie was een afgesloten hoofdstuk in haar leven.

Lisa had op aanraden van haar vriendin haar opleiding als verpleegkundige afgewerkt in Frankrijk. Dat was niet echt een probleem geweest omdat ze vlot Frans sprak. Al van in de lagere school was ze een talenknobbel gebleken.

De 24-jarige Lisa was ondertussen verpleegster op de afdeling pediatrie in 'Hôpital Saint-Louis', een ziekenhuis in Parijs. Ze hield van haar job en was ook weer van het leven gaan houden. Samen met haar vriendin genoot ze van het leven.

Een vriend moest ze voorlopig nog niet hebben omdat ze bang was te verliezen aan wie ze haar hart toevertrouwde. Hoe sterk ze ook was, dat zou ze niet overleven. De enige die ze echt in haar leven toeliet, was haar vriendin en elke seconde van elke dag was ze doodsbang dat haar iets zou overkomen.

Dit was de eerste keer in vijf jaar dat Lisa terugkeerde naar België. De vorige vier herdenkingen had ze altijd vertrekkensklaar gestaan, maar ze was nooit in de trein gestapt.

Nu was ze blij dat ze er was, al verbaasde het haar dat ze geen band voelde met de mensen die hier stonden. Dit leven was voor haar voorbij. Ze was een nieuw leven begonnen, al dacht ze uiteraard nog heel veel aan haar moeder, vader en broer die haar veel te vroeg waren ontnomen.

7

In tegenstelling tot van Meirdeghem hield korpschef Verbaanderd er wel van om voor een publiek te spreken, al deed hij dat liever in andere omstandigheden. Hij had het vooral over het terrorisme in de wereld en over het feit dat iedereen altijd dacht dat het terrorisme anderen zou treffen. Er waren de aanslagen in New York, Madrid en Londen, maar wie had ooit durven denken dat Brussel het mikpunt zou zijn van een terroristische organisatie?

Zoals elk jaar bedankte Verbaanderd ook uitgebreid de hulpdiensten van Brussel en van de nabijgelegen gemeentes voor het snelle ingrijpen na de aanslag.

Over persoonlijke zaken die hij had meegemaakt, sprak hij niet. Hij had wel enkele vrienden en familieleden verloren, maar zijn vrouw en dochter hadden het net zoals hij overleefd en dat was voor hem het belangrijkste.

8

Dokter Merens was ook één van de 522 inwoners van Laarbeke die de terroristische aanslag had overleefd. Het lot van een mens was soms vreemd. Was het enkel aan het toeval te danken dat hij een paar dagen voor de aanslag betrokken was geraakt in een auto-ongeval en daardoor op het ogenblik van de ramp in het UZ in Brussel had gelegen? Indien hij geen auto-ongeluk gehad had, was hij waarschijnlijk gestorven tijdens de aanslag, want hij was van plan geweest naar de opening van de kunsttentoonstelling in het cultuurcentrum te gaan.

Na het auto-ongeluk had hij wekenlang in het ziekenhuis voor zijn leven gevochten, maar hij was niet gestorven.

Dokter Merens had vele kennissen en enkele goede vrienden verloren tijdens de aanslag, maar zijn naaste familie had het overleefd. En daar was hij God dankbaar om. Dat was eigenaardig, want als man van de wetenschap had hij nooit in God geloofd. Tot na de ramp, want om de één of andere reden woonde hij nu minstens één keer per week een misviering bij. En hij zat daar dan niet zoals vroeger wat om zich heen te staren, maar luisterde aandachtig naar alles wat de pastoor vertelde.

Dokter Merens had het licht gezien aan het einde van een donkere tunnel, een licht dat iedereen ooit eens moest instappen. Hij vroeg zich af wanneer zijn tijd zou komen om het licht tegemoet te treden.

9

Na de dood van zijn vader was Theo gaan inzien hoe belangrijk politiek wel was. Politieke beslissingen waren van levensbelang. Als politiek op een goede manier werd gevoerd, kon het een machtig wapen vormen tegen terrorisme.

Theo was eigenlijk nooit van plan geweest om in de voetsporen van zijn vader te treden. Hij had zich wel willen engageren als gemeenteraadslid maar een schepenzitje of een burgemeesterssjerp was nooit zijn doel geweest.

Na de aanslag was Theo helemaal anders gaan denken. Hij wilde nu absoluut burgemeester van Laarbeke worden. Zijn eerste uitdaging was dat de gemeente opnieuw moest opgebouwd worden, momenteel leefden er nog slechts een 150-tal mensen in Laarbeke, allen langsheen het kanaal. De rest van Laarbeke was nog een even grote puinhoop als vijf jaar geleden.

Er gingen heel wat stemmen op om Laarbeke niet meer te bevolken en er een monument op te richten voor de overledenen. Maar wat was een groter eerbetoon voor de slachtoffers dan Laarbeke herop te bouwen? Theo wilde daarvoor zorgen zodat zijn vader trots op hem zou zijn. Laarbeke moest opnieuw de sterke, invloedrijke gemeente in de ring rond Brussel worden, die het tot vijf jaar geleden was geweest. Belangrijk daarbij was dat hij de publieke opinie achter zich kon krijgen. Als het gros van de lokale bewoners wilde dat Laarbeke opnieuw werd opgetrokken, zou dat ook gebeuren. Politieke macht kon je enkel afdwingen als veel mensen je steunden.

Omdat deze herdenking vandaag hét moment bij uitstek was om veel mensen te bereiken, had Theo gevraagd om als zoon van de overleden burgemeester een woordje te mogen zeggen tijdens de plechtigheid. Niemand had dat geweigerd en hij mocht als laatste de menigte toespreken. Theo sprak over zijn vader alsof hij een god was en over Laarbeke alsof het een paradijs op aarde was. Na de hulde aan zijn overleden vader en aan de gemeente nam hij de tijd om de plannen uiteen te zetten die hij met Laarbeke had en hij voelde aan dat zijn woorden impact hadden en dat de mensen zich achter hem schaarden.

Wat zou zijn vader trots op hem zijn.

10

In de menigte stond een klein meisje. Haar naam was Ayla. Ze was nu vijf jaar en vier maand oud. Ayla vond van zichzelf dat ze al een grote meid was. Ze had er bij haar moeke Mariette dan ook op aangedrongen om de plechtigheid bij te kunnen wonen. Na heel wat gezeur had moeke Mariette met tegenzin ingestemd, ook al was het lang na bedtijd.

Ayla wist maar al te goed dat moeke Mariette niet haar echte mama was. Haar echte mama was naar de hemel gegaan toen het stoute vliegtuig vijf jaar geleden was neergestort. Ayla herinnerde zich haar moeder niet meer en ook haar papa kende ze alleen van de enkele foto's die er nog van hem waren. Een papa had ze nu niet meer, want moeke Mariette was niet getrouwd.

Moeke Mariette had Ayla verteld dat toen ze nog een baby was, ze ook al elke dag bij haar kwam. Moeke Mariette was toen haar opvangmoeder geweest bij wie ze alleen mocht langsgaan als haar mama en papa niet thuis waren.

Ayla vond het heel leuk bij moeke Mariette, maar ze vroeg zich weleens af of haar mama en papa ook zo leuk zouden geweest zijn als haar moeke. Ze dacht van wel, zeker wanneer ze luisterde naar de vele verhalen die Mariette over hen vertelde.

Ayla had ook een opa en een oma. Die woonden aan zee en ze mocht er dikwijls gaan spelen. Dat vond het kleine meisje heel prettig want ze mocht er op het strand spelen en in het water zwemmen. De meeste tijd bracht ze door bij moeke Mariette en daar was ze blij om want bij haar moeke vond ze het toch het leukst.

Ayla voelde zich soms een beetje triest wanneer ze aan haar papa en mama dacht. Ook vandaag was ze een beetje droevig. Misschien kwam dat wel omdat ze zoveel treurige mensen om zich heen zag. Bijna iedereen had tranen in de ogen.

Ayla wist wel waarom iedereen huilde. Dat was omdat het vliegtuig was neergestort en er veel mensen naar de hemel waren gegaan, net zoals haar mama en papa.

Ayla voelde iets over haar wang vloeien. Ze keek omhoog omdat ze dacht dat het een regendruppel was, maar toen ze de heldere lucht zag, besefte ze dat het een traan was.

Moeke Mariette vond het niet erg dat Ayla weende, want ook zij depte haar tranen met een zakdoek.

Opeens zag Ayla iets raars. Er kwamen allemaal mensen tussen de andere mensen op de kade staan. Vreemde mensen. Doorzichtige mensen met een donkerblauwe kleur. Ze liepen door de gewone mensen heen. Toch was Ayla niet bang, want ze voelde dat het geen stoute mensen waren. Net zoals de gewone mensen luisterden de doorzichtige mensen naar de meneer die aan het spreken was.

Twee van de doorzichtige mensen, een man en een vrouw, blikten opzij en keken Ayla recht in de ogen. Ayla voelde een koude rilling over haar ruggengraat lopen toen ze haar papa en mama van de foto herkende.